Dieta Cetogénica

Guía Paso a Paso y 70 Recetas Bajas en Carbohidratos, Comprobadas para Adelgazar Rápido

D1596633

información contenida en este documento, incluido pero no limitado a: errores, omisiones o inexactitudes.

Tabla De Contenido

Introducción

Todos tenemos muchas cosas por hacer, pero muy poco tiempo para hacerlas. En el proceso de hacer todo, es común que perdamos el foco sobre aspectos importantes de nuestras vidas. Uno de estos aspectos es, probablemente, uno de los que más debemos cuidar: la salud.

Estar saludable es algo esencial para vivir una vida feliz y satisfactoria. Si no cuidas tu cuerpo, pronto verás las consecuencias. Solo con tomar mejores decisiones en tu vida cotidiana, podrás ver una gran diferencia en todo lo que hagas. El simple hecho de que tener prisa no es una excusa para saltarse las comidas o comer lo primero que encuentres.

La alimentación es importante para el cuerpo, y comer los alimentos adecuados puede lograr cambios increíbles en tu salud. No es necesario hacer cambios drásticos en la dieta ni morirse de hambre. Hay muchas dietas de moda y métodos populares que pretenden ayudarte a adelgazar rápidamente o que estarás más saludable que nunca. Por eso es necesario que reconozcas qué es bueno y qué es malo para tu cuerpo. La información de este libro te presentará una dieta que realmente funciona y que te ayudará constantemente para tener un cuerpo más saludable.

Aquí conocerás todo sobre la dieta cetogénica. Quizás ya has escuchado hablar de ella, pero no sabes lo que realmente significa. Te diremos todo lo que necesitas saber sobre ella y cómo puede ayudarte. Es momento de abandonar todas esas modas y tendencias que no solo son fraudulentas, sino que también son nocivas para tu cuerpo.

A medida que sigas leyendo este libro, conocerás exactamente por qué tantas personas dan fe sobre los resultados de esta dieta. Al finalizar, tú también serás un seguidor.

Capítulo 1: ¿Qué es la Dieta Cetogénica?

La dieta cetogénica o dieta keto (por la palabra *"ketogenic"*, en inglés) ha ganado popularidad en los últimos años. Básicamente, se trata de una dieta baja en carbohidratos y alta en grasas. Los beneficios de esta dieta incluyen regular el azúcar en la sangre además de controlar los niveles de insulina en el cuerpo. El metabolismo de tu cuerpo se enfocará en quemar las grasas en vez de los carbohidratos para proporcionar la energía que necesita.

Las cetonas producidas en el hígado son usadas para proporcionar energía a tu cuerpo. Además, la ingesta de carbohidratos se reduce drásticamente y se reemplaza con grasa. Esto obliga a tu cuerpo a entrar en un estado de cetosis y a su vez, tu cuerpo empieza a quemar grasas con mayor facilidad ya que la utiliza para producir energía, en lugar de depender de los carbohidratos. La grasa en el hígado también se convierte en cetonas, las cuales suministran energía al cerebro.

Ahora explicaremos cómo funciona esta dieta. Al tener una alimentación alta en carbohidratos, tu cuerpo producirá más glucosa e insulina. Ya que la glucosa es la molécula más fácil de descomponer, el cuerpo elige usarla como fuente de energía en lugar de cualquier otra grasa que consumes. Esto ocasiona que la grasa se acumule en diferentes partes del cuerpo, lo que conocemos como ganar peso. Sin embargo, cuando disminuyes la ingesta de carbohidratos, tu cuerpo entra en una condición llamada cetosis. Se trata de un proceso natural del cuerpo donde las grasas en el hígado se descomponen para producir cetonas. Una vez tu cuerpo entre en este estado metabólico, comenzará a utilizar la grasa acumulada como la principal fuente de energía.

Hay muchas variaciones de la dieta keto que puedes seguir:

➤ La dieta cetogénica estándar implica una ingesta muy baja de carbohidratos, proteína moderadas y altas cantidades de grasa.

➤ La dieta cetogénica de alta proteína implica una ingesta mayor de proteínas que la dieta estándar.

➤ La dieta cetogénica dirigida implica la ingesta de más carbohidratos dependiendo de tus rutinas de entrenamiento.

➤ La dieta cetogénica cíclica, como su nombre lo dice, tiene un ciclo donde sigues la dieta por un número específico de días, luego se añaden carbohidratos por unos días y después se continúa con la dieta.

Demos un vistazo a lo que puedes hacer para seguir esta dieta. Hemos preparado una lista de alimentos que puedes comer y aquellos que debes evitar. De esta manera, puedes llevar un seguimiento sobre qué comes y estar seguro de que sigues la dieta al pie de la letra.

Debes evitar consumir la mayoría de los alimentos a base de carbohidratos. La siguiente es una lista de alimentos que debes evitar:

• Papas, zanahorias y otros tubérculos o raíces comestibles.

• Aceites vegetales procesados

• Alcohol

• Productos de dieta o bajos en grasa

- Frutas

- Granos y almidones, como arroz, pasta, cereales, etc.

- Lentejas, guisantes, garbanzos y otros frijoles o legumbres

- Alimentos libres de azúcar

Debes comer alimentos bajos en carbohidratos, pero con suficientes proteínas y grasas: La siguiente es una lista de alimentos que puedes comer:

- Vegetales bajos en carbohidratos, como cebollas y tomates

- Nueces y semillas, como las semillas de chía, almendras, semillas de lino, etc.

- Huevos

- Pollo, tocino, pavo, carnes rojas, jamón

- Mantequilla y crema de vacas alimentadas al pasto

- Aceites comestibles saludables, como aceite de oliva, de coco, de aguacate

- Aguacates o guacamole

- Quesos sin procesar

- Salmón, trucha, caballa y otros peces altos en grasa

- Vegetales verdes como col rizada y espinaca

Estas listas sobre lo que puedes comer y lo que debes evitar te ayudarán al momento de seleccionar tus alimentos. Aléjate de todo lo que no sea parte de la dieta keto y pronto verás resultados. Hay muchísimas recetas que puedes preparar para ayudarte a seguir esta dieta sin que llegue se vuelva tediosa o aburrida. Puedes probar diferentes recetas inspiradas en la dieta keto con las que puedes preparar las comidas adecuadas y también comer algo delicioso y nuevo todos los días. Cuando sientas hambre entre las comidas, puedes comer una porción pequeña de algún alimento de la dieta keto. Por ejemplo, una porción de chocolate oscuro, fresas, salsa y guacamole, huevos cocidos, nueces, queso o algo de yogurt.

Con esta dieta no tienes que morir de hambre, ni renunciar a toda la comida que te gusta. Solo tienes que disminuir el consumo de algunas cosas que normalmente podrías comer, y reemplazarlas por otras comidas. Si te preocupa comer fuera de casa, también es fácil ajustar las comidas de acuerdo a esta dieta. Si ordenas una hamburguesa, no te comas el pan. O puedes elegir un plato fuerte de carne o pescado. Para el postre, puedes comer algunas bayas con crema o quesos. Los platillos a base de huevo también son una buena opción. La verdad es que no se trata de una dieta tan difícil cuando ya has aprendido lo básico, ya sea en preparando comidas en casa o comiendo en un restaurante. Los cambios que logres con esta dieta son fáciles de mantener y serás capaz de ver los resultados bastante pronto.

Una vez que empieces con esta dieta, solo ten en cuenta lo siguiente para evitar cualquier problema.

Precauciones:

➢ La gripe ceto es algo habitual en las personas que comienzan esta dieta. Los síntomas pueden ser: bajos niveles de energía, problemas para dormir, náuseas e incremento de la sensación de hambre. Estos síntomas desaparecen por completo después de unas semanas. Puedes empezar reduciendo la ingesta de carbohidratos poco a poco, hasta eliminarlos totalmente de tu dieta.

➤ El contenido de agua y minerales en tu cuerpo también se verá afectado, por lo que es recomendable añadir más sal y suplementos a tu dieta para equilibrar esto.

➤ Debes alimentarte hasta estar lleno. Nunca debes comer menos con esta dieta solo para adelgazar más rápido.

➤ Suplementos como el suero de leche, la cafeína y la creatina pueden ayudarte al comenzar esta dieta.

La dieta cetogénica es una excelente opción para la mayoría de las personas y ha sido demostrada como un método muy efectivo. No obstante, las personas que sufren de algunas enfermedades o condiciones, deben consultar primero con su médico. Los cambios en la dieta pueden afectar el tratamiento que recibas para esas condiciones, y también a tu cuerpo. Solo continúa con esta dieta si tu médico lo aprueba. La dieta es efectiva si la sigues de forma correcta y constante por un período de tiempo. No verás los resultados en un día o dos, pero tendrá efectos duraderos con los que tu cuerpo se beneficiará.

Capítulo 2: Cómo Puede Ayudarte Esta Dieta a Estar Saludable y Por Qué Debes Seguirla

Se puede mencionar una cantidad de razones para convencer a cualquiera de que seguir la dieta cetogénica es su mejor opción. Con esta dieta en particular, se pueden resolver problemas y condiciones médicas relacionadas con el peso. Por lo tanto, se puede decir que es una dieta para todos. Por esto, hemos preparado una lista sobre todos los beneficios que puedes obtener al seguir la dieta keto.

> ➤ La principal razón para adoptar esta dieta es la pérdida de peso. Ya que el cuerpo utiliza la grasa y la convierte energía, se puede perder mucho peso. Tus niveles de insulina también disminuyen con esta dieta, lo que permite quemar más grasa y eventualmente adelgazar. Se ha demostrado que esta dieta más efectiva que otras donde se reduce el consumo de grasa.

> ➤ La diabetes es una enfermedad que afecta a muchas personas y esta dieta también puede ayudarles. El exceso de grasa en el cuerpo está relacionado con la pre-diabetes y la diabetes tipo 2. Tu sensibilidad a la insulina es mucho mayor cuando estás bajo el régimen de la dieta cetogénica, y esto ayuda a mejorar los síntomas de estas enfermedades. Gracias a la pérdida de peso, la dieta puede ayudar bastante con las complicaciones por diabetes.

➤ Como los niveles de energía son más altos, te vuelves mucho más productivo. Los alimentos altos en grasas son una fuente más nutritiva para consumir y además proporcionan mucha energía al organismo. Esto ayuda a mantenerte saciado y con mucha energía durante todo el día.

➤ La función cerebral y el enfoque también se beneficia. Las cetonas producidas por esta dieta actuarán como combustible para el cerebro. Además, los niveles de azúcar en la sangre en tu cuerpo se mantendrán balanceados. Con la dieta cero, la persona tiene un mejor nivel de concentración.

➤ Los pacientes con epilepsia son unos de los principales defensores de la dieta cetogénica. Los niños afectados por epilepsia son tratados con esta dieta como una forma de terapia. Se ha demostrado que es efectiva y se ha venido usando durante mucho tiempo. Con la ayuda de la dieta keto, los pacientes pueden reducir las dosis que requieren para tratar su enfermedad, y logran sentirse mucho mejor en todos los aspectos.

➤ Otra razón es el acné, el cual es un problema común para la mayoría de las personas en algún punto de su vida. La dieta keto reduce los niveles de insulina, lo que implica menos ingesta de azúcar. Gracias a esto, la presencia de acné es mucho menor en aquellos que siguen esta dieta.

➤ Los niveles de colesterol y la presión arterial son dos factores que cualquier persona debe cuidar. La dieta keto ayuda a aumentar el colesterol bueno (HDL) y a disminuir el colesterol malo (LDL). La pérdida de peso también ayuda a reducir la presión arterial alta.

➤ La resistencia a la insulina puede causar muchos problemas. La dieta keto ayuda a aumentar la sensibilidad a la insulina y, por lo tanto, mejora esta condición. Esto también ayuda a prevenir la diabetes.

➤ Muchas enfermedades del corazón ocurren por la presión arterial, la grasa corporal y los niveles de azúcar en la sangre. Con la dieta keto se pueden mantener los niveles adecuados en el cuerpo y así evitar estas enfermedades y accidentes cardiovasculares.

Como puedes ver, son muchos los beneficios que se obtienen con solo seguir una dieta cetogénica básica. Estos resultados son la razón por la cual tantas personas recomiendan esta dieta y es hora de que tú también la pruebes.

Capítulo 3: Desayunos

Quiche de Espinaca, Champiñones y Queso Feta sin Corteza

Porciones: 3

Ingredientes:

- 4 oz. de champiñones blancos picados
- 5 oz. de espinacas (descongelar si no son frescas)
- 1 diente de ajo picado
- ½ taza de leche
- 2 huevos grandes batidos
- 2 cuchadas de parmesano rallado
- 1 oz. de queso feta
- ¼ taza de mozzarella rallado
- Sal y pimienta al gusto

Preparación:

1. Precalentar el horno a 350 F. Exprimir y remover el exceso de líquido de las espinacas.
2. Colocar una sartén antiadherente a fuego medio y rociarla con aceite para cocinar. Saltear los champiñones con el ajo hasta que se cocinen por completo y estén tiernos.
3. Engrasar un molde para tartas rociándolo con aceite. Colocar la espinaca en el molde creando una base y luego cubrir con los champiñones salteados. Colocar los trozos de queso feta.
4. Mezclar el parmesano, la leche y los huevos batidos. Sazonar con sal y pimienta y batir la mezcla.

5. Verter la mezcla en el molde. Esparcir el mozzarella rallado por encima.
6. Colocar el molde sobre una bandeja para hornear y llevar al horno hasta que esté dorado.
7. Cortar y servir.

Batido de Espinaca y Pepino

Ingredientes:

- 2 tazas de espinacas
- 1 pepino picado en cubos
- 1 taza de leche de coco sin azúcar
- 15 gotas de estevia líquida
- ½ cucharadita de goma xantana
- 2 cucharaditas de aceite de TCM
- 8 cubos de hielo

Preparación:

1. Lavar y triturar las hojas de espinacas.
2. Colocar las espinacas y el pepino en cubo dentro de la licuadora.
3. Verter la leche de coco sin azúcar y la estevia.
4. A esta mezcla, añadir media cucharadita de goma xantana y dos cucharaditas de aceite TCM.
5. Agregar los cubos de hielo y mezclar todo utilizando un cucharón.
6. Licuar por 2 minutos. Las hojas de espinaca dan a esta bebida una textura increíble.
7. Servir inmediatamente.

Frittata de Tomate y Brócoli

Porciones: 3

Ingredientes:

- 5 huevos batidos
- 1 cucharada de aceite de oliva
- 1 oz. de queso gouda desmenuzado
- 1 cabeza pequeña de brócoli separada en floretes
- 1 tomate mediano picado
- 1/2 cucharadita de pimienta en polvo
- 1 aguacate pequeño pelado, deshuesado y rebanado

Preparación:

1. Colocar en un bol los huevos, el brócoli, el tomate, sal y pimienta y mezclar bien.
2. Añadir el queso y mezclar hasta se haya integrado bien a la mezcla.
3. Colocar una sartén para hornos a fuego medio. Agregar aceite y mover la sartén para que el aceite lo cubra todo.
4. Verter la mezcla de huevo y cocinar hasta la mezcla tome firmeza por los lados.
5. Retirar del fuego.
6. Llevar al horno precalentado a 425 F y hornear por 20-30 minutos o hasta que esté dorado.
7. Cortar y servir las porciones acompañadas de las rebanadas de aguacate.

Tostada Francesa

Porciones: 9

Ingredientes:

<u>Para el pan de proteína:</u>

- 6 claras de huevo
- 2 oz. de queso crema
- ½ taza de polvo de proteínas

<u>Para la tostada francesa:</u>

- 1 huevo
- ½ cucharadita de vainilla
- ¼ taza de leche de coco o de almendras
- ½ cucharadita de canela en polvo.

<u>Para el jarabe:</u>

- ¼ taza de mantequilla
- ¼ leche de almendras
- ¼ taza de endulzante Swerve o sustituto de azúcar.

Preparación:

1. Para el pan: Batir las claras hasta que estén firmes.
2. Añadir el polvo de proteínas a las claras y mezclar suavemente. Agregar el queso crema con movimientos envolventes.
3. Engrasar un molde para pan y colocar la masa dentro de él.
4. Llevar al horno precalentado a 325 F y hornear hasta que esté dorado.
5. Rebanar el pan cuando esté frío. Reservar 9 rebanadas de pan.

6. Para la tostada francesa: Llevar una sartén engrasada a fuego medio.

7. Mezclar 1 huevo, la leche de almendras, la vainilla y la canela en un bol.

8. Pasar una rebanada de pan por la mezcla.

9. Cocinar la rebanada en la sartén bien caliente hasta que esté dorada por ambos lados. Repetir el proceso con el resto del pan.

10. Para el jarabe: Derretir la mantequilla en una olla a fuego alto. Añadir el endulzante Swerve y la leche juntas. Batir hasta que la mezcla quede suave. Retirar del fuego y dejar enfriar. Almacenar en un recipiente hermético dentro del refrigerador.

11. Cubrir la tostada francesa con el jarabe y servir.

Mini Frittatas Santa Fe

Porciones: 4

Ingredientes:

- 5 huevos grandes
- 1 clara de huevo
- 4 oz. de salchicha de cerdo
- 1/4 taza de leche
- 1/2 taza de pimiento rojo picado en cubos pequeños
- 1/2 taza de pimento amarillo picado en cubos pequeños
- 1/4 taza de queso Pepper Jack
- Sal al gusto
- Pimienta en polvo al gusto
- 1 cebolla picada finamente
- 2 cucharaditas de cilantro fresco picado finamente

Preparación:

1. Llevar una sartén a fuego medio. Colocar las salchichas y cocinar hasta que estén listas.
2. Retirar con una espumadera y reservar. Desmenuzar las salchichas cuando estén frías.
3. Llevar la sartén al fuego nuevamente. Cocinar los pimientos hasta que estén tiernos. Retirar del fuego y reservar.
4. Agregar huevos, la clara de huevo y leche en un bol y mezclar bien.
5. Tomar 6 moldes para muffins y engrasarlos con mantequilla o aceite. Colocar la salchicha dentro de los moldes y luego los pimientos formando una capa.
6. Luego verter la mezcla de huevo y esparcir queso por encima. Mezclar ligeramente con un tenedor.

7. Hornear en un horno precalentado a 350 F por 20-30 minutos o hasta que esté dorado. Retirar del horno.
8. Soltar los bordes de la frittata con un cuchillo. Voltear sobre un plato y servir.

Batido de Kiwi y Aguacate

Ingredientes:

- 2 aguacates
- 1/2 taza de leche de coco
- 1/2 taza de kiwis
- 1 cucharada de suero de leche en polvo con sabor a vainilla
- 1 cucharada de semillas de chía
- 6 gotas de estevia líquida
- 1/2 taza de agua
- 3 cubos de hielo
- Canela en polvo (para decorar, opcional)

Preparación:

1. Pelar, deshuesar y preparar los aguacates y reservar.
2. Agregar los aguacates y media taza de leche de coco a una licuadora.
3. Añadir media taza de kiwis recién cortados a la mezcla y 1 cucharada de suero de leche en polvo con sabor a vainilla. Licuar por 30 segundos a velocidad media.
4. Añadir las semillas de chía y la estevia líquida a la mezcla dentro de la licuadora.
5. Verter media taza de agua y los cubos de hielo a la licuadora.
6. Licuar a velocidad media hasta que quede suave.
7. Decorar con canela en polvo y servir bien frío.

Shakshuka del Medio Oriente

Porciones: 6

Ingredientes:

- 18 oz. de carne para guisar
- 6 huevos
- 5 dientes de ajos picados
- 1 cebolla grande picada
- 3 pimientos poblanos picados
- 1 pimiento rojo grande picado
- 1 pimiento verde grande picado
- 2 hojas de laurel
- 1 ½ cucharaditas de paprika
- 1 ½ cucharaditas de comino molido
- ¾ cucharadita hojuelas de pimiento rojo molido
- Sal al gusto
- Pimienta al gusto
- 3 cucharadas de aceite de oliva extra virgen
- ¾ taza de salsa de tomate
- 1 ½ latas (15 oz. cada una) de tomates cortados en cubos

Preparación:

1. Mezclar en un bol grande el comino, la paprika, la sal y la pimenta. Añadir la carne y mezclar hasta que esté bien cubierta.
2. Calentar una sartén a fuego medio y verter el aceite. Cuando el aceite esté bien caliente, colocar la carne y las especias. Saltear hasta que se dore.
3. Agregar cebollas, los pimientos picados, los pimientos poblanos y el ajo. Saltear hasta que las cebollas estén transparentes.
4. Añadir las hojas de laurel, la pimienta en polvo y los

tomates con su jugo y triturar los tomates un poco dentro de la mezcla. Revolver bien y cocinar a fuego medio por 20 minutos.

5. Cuando la carne esté cocinada, retirar las hojas de laurel de la salsa. Revolver bien. Probar y sazonar si es necesario.

6. Hacer 6 espacios dentro del guiso. Romper un huevo en cada uno. Tapar y dejar a fuego bajo hasta que los huevos estén cocidos según gustes.

Tortilla Italiana

Ingredientes:

- 6 huevos
- 3 oz. de queso Brie entero rebanado
- 3 cucharadas de mantequilla
- 15 aceitunas Kalamata deshuesadas
- 3 cucharadas de aceite de TCM
- 1/2 cucharadita de sal
- 1 1/2 cucharaditas de hierbas provenzales
- 1 aguacate grande pelado, deshuesado y cortado en rebanadas gruesas

Preparación:

1. Agregar en un bol los huevos, el aceite, las hierbas provenzales, las aceitunas y la sal. Mezclar bien.
2. Llevar una sartén antiadherente a fuego medio o alto. Agregar mantequilla. Cuando la mantequilla se derrita, colocar el aguacate y freír hasta que esté dorado completamente. Retirar y reservar.
3. Llevar la sartén nuevamente a fuego alto. Cocinar la mezcla de huevo preparada.
4. Colocar las rebanadas de queso sobre la mezcla. Cubrir y cocinar hasta que esté dorado por debajo.
5. Dar la vuelta y cocinar el otro lado también. Retirar la tortilla de la sartén.
6. Cortar en 6 porciones. Colocar las rebanadas de aguacate por encima y servir.

Batido Keto de Col Rizada e Hierbas

Ingredientes:

- 1 racimo de col rizada
- 1 cucharadita de sal
- 2 cucharadas de colágeno
- 2 cucharaditas de vinagre de sidra de manzana
- 1 cucharadita de orégano en polvo
- 2 cucharaditas de mantequilla
- 10 gotas de aceite de TCM

Preparación:

1. Tomar un manojo de col rizada y lavarla muy bien el fregadero con agua.
2. Cocinar en una olla vaporera por 8 minutos. Dejar que la col se enfríe un tiempo.
3. Escurrir el agua y verterla en una licuadora.
4. Añadir una cucharadita de sal y las dos cucharadas de colágeno.
5. Medir dos cucharaditas de vinagre de sidra de manzana y añadir a la mezcla. Mezclar bien.
6. Agregar ahora una cucharadita de orégano en polvo, 2 cucharaditas de mantequilla y 10 gotas de aceite de TCM.
7. Licuar bien los ingredientes por dos minutos hasta que la mezcla tenga una textura suave.
8. Servir inmediatamente.

Sándwiches con Pan de Lino

Porciones: 3

Ingredientes:

- 9 cucharadas de linaza molida
- 1 cucharadita de semillas de alcaravea
- 2 cucharaditas de cebolla en polvo
- 3 huevos grandes
- 1 cucharadita de polvo de hornear
- 1 1/2 cucharadas de agua
- 2 gotas de estevia
- 1 1/2 cucharadas de aceite de oliva

Preparación:

1. Mezclar en un bol todos los ingredientes secos.
2. Mezclar en otro bol todos los ingredientes húmedos.
3. Verter la mezcla húmeda dentro del bol con los ingredientes secos y mezclar bien.
4. Verter la mezcla en un molde para muffins bien engrasado (llenar hasta cubrir 2/3 del molde)
5. Llevar a un horno precalentado a 325 F por 15 minutos o hasta que el pan esté listo.
6. Cortar en el medio, horizontalmente. Servir con aderezos y guarniciones de tu elección.

Batido de Calabaza con Vainilla

Ingredientes:

- 1 calabaza mediana
- 1/2 taza de suero de leche en polvo con sabor a vainilla
- 1 cucharadita de esencia de vainilla
- 2 tazas de leche de almendras

Preparación:

1. Precalentar el horno a 300 F.
2. Cortar la calabaza a la mitad y colocar las dos mitades boca abajo en una bandeja.
3. Hornear hasta que esté tierna (alrededor de 30 minutos). Sacar del horno y pinchar con una aguja o tenedor para verificar que esté lista.
4. Dejar que se enfríe unos minutos.
5. Una vez fría, sacar las semillas con una cuchara.
6. Sacar la carne de la calabaza y colocarla en una licuadora.
7. Añadir el suero de leche en polvo y la esencia de vainilla a la mezcla.
8. Licuar por 2 minutos a velocidad media hasta que esté suave. Luego añadir la leche de almendras y licuar por otro minuto.
9. Verter en vasos y refrigerar. Este batido puede conservarse en el refrigerador hasta por una semana.

Huevos Horneados a la Sartén

Porciones: 2

Ingredientes:

- 1/3 taza de yogur griego simple
- 1 cucharada de mantequilla sin sal dividida en dos cubos
- 2 cucharadas de puerro picado
- 1 diente de ajo picado en dos
- Sal al gusto
- 1 cucharadita de aceite de oliva
- 1 cebollín picado
- 1 cucharadita de jugo de limón fresco
- 5 tazas de espinaca fresca picada
- ½ cucharadita de orégano fresco picado
- Hojuelas de pimiento rojo molido al gusto
- 2 huevos grandes

Preparación:

1. Verter el yogurt en un bol y agregar sal y el ajo. Reservar.
2. Llevar una sartén grande a fuego medio. Agregar la mitad de la mantequilla y una vez se derrita, agregar el puerro y el cebollín.
3. Bajar el fuego. Saltear hasta que los vegetales estén tiernos.
4. Subir el fuego. Agregar la espinaca, el jugo de limón y sal. Saltear hasta que las espinacas estén sofritas.
5. Trasferir la preparación a una sartén para hornos. Abrir dos espacios dentro en la sartén.
6. Romper dos huevos con cuidado en cada espacio. Añadir sal. Llevar la sartén a un horno precalentado a 300 F y hornear hasta que los huevos estén listos.
7. Llevar una olla pequeña al fuego y colocar el resto de la

mantequilla. Agregar las hojuelas de pimiento y sal. Cuando empiece a espumar, agregar el orégano y cocinar por 30 segundos. Retirar del fuego.

8. Retirar el ajo del yogur. Cubrir los huevos y espinacas con el yogur y salpicar la mantequilla picante por encima.

9. Servir.

Tortilla Taiwanesa de Ostras

Porciones: 1

Ingredientes:

- 2 oz. de ostras en su concha con jugo
- ½ cucharadita de arrurruz en polvo
- 1 cucharada de almidón de batata
- 1 huevo
- 2 cucharaditas de manteca de cerdo
- 2 cucharaditas de aceite de oliva
- 1/8 cucharadita de aceite de sésamo
- 2 cucharaditas de aceite de maní
- 1 cucharada de cebollín picado
- 1/3 taza de hojas de baby bok choy
- Pimienta blanca en polvo al gusto
- Sal al gusto

Para la salsa de la tortilla:
- ½ cucharadita de salsa de tomate
- ½ cucharadita de salsa hoisin
- 1/8 cucharadita vinagre de arroz
- ¼ cucharadita de salsa sriracha
- ¼ cucharadita de aceite de chili chino

Preparación:

1. Para la salsa de la tortilla: Agregar todos los ingredientes de la salsa en un bol junto a una cucharada de agua hirviendo. Mezclar y reservar.
2. Apartar 2 cucharaditas del líquido de las ostras y drenar el resto.
3. Agregar el almidón de batata, el arrurruz en polvo, la sal,

28

el jugo de ostras y una cucharadita de agua en un bol y mezclar bien.

4. En otro bol, verter los huevos, sal, pimienta y aceite de sésamo y batir bien.
5. Llevar una sartén a fuego medio. Agregar la manteca de cerdo. Cuando se derrita, añadir el bok choy y saltear hasta que esté sofrito.
6. Verter la mezcla de la salsa sobre el bok choy. Agregar las ostras. Dejar que se cocinen hasta que se vuelvan transparentes.
7. Añadir la mezcla de huevo.
8. Cubrir con una tapa. Cocinar por 2 minutos al vapor, luego destapar y llevar a un plato.
9. Decorar con cebollín picado y servir.

Tortilla de Queso y Brócoli

Porciones: 2

Ingredientes:

- 4 claras de huevo
- 2 huevos
- 1 taza de brócoli picado finamente y cocido
- 2 cucharadas de leche de almendras
- Sal al gusto
- Pimienta en polvo al gusto
- 2 rebanadas de queso suizo
- Aceite comestible en aerosol

Preparación:

1. En un bol, agregar los huevos, las claras, la leche, la sal y la pimienta y batir bien.
2. Llevar una sartén antiadherente a fuego medio. Rociar con aceite comestible en aerosol.
3. Cuando la sartén esté bien caliente, verter la mezcla de huevo. Mover la sartén para que el huevo se extienda bien.
4. Colocar una rebanada de queso en el centro de la tortilla. Añadir la mitad del brócoli por encima del queso.
5. Cocinar hasta que el huevo esté listo. Doblar los lados de la tortilla sobre el brócoli. Llevar a un plato y servir.
6. Repetir los 3 pasos anteriores con el resto de la mezcla y el brócoli.

Batido de Chocolate y Sésamo

Ingredientes:

- 2 cucharadas de proteína en polvo baja en carbohidratos
- 2 cucharaditas de cacao en polvo sin azúcar
- 1 cucharadita de cáscaras de psilio
- 300 ml de agua
- 2 cucharadas de aceite de sésamo
- 5 gotas de endulzante líquido
- 200 ml de crema de leche, con no más de 35g de grasa

Preparación:

1. Mezclar la proteína en polvo, el cacao en polvo y las cáscaras de psilio en un vaso grande.
2. A esta mezcla, añadir 300ml de agua y revolver hasta que la mezcla esté suave (también se puede usar una licuadora, pero es fácil de hacer en un vaso).
3. A esto, añadir 2 cucharadas de aceite de sésamo y el agente endulzante líquido. El aceite de oliva proporciona nutrientes esenciales al batido y le da un sabor a nuez.
4. Agregar una cucharada de crema de leche a la mezcla. No agitar, solo mezclar suavemente hasta que los ingredientes estén homogéneos.
5. Agregar cubos de hielo y beber el batido dentro de media hora.

Muffins de Canela

Porciones: 4

Ingredientes:

Para los muffins:
- 1/2 taza de harina de coco
- 6 huevos
- 4 cucharadas de linaza molida
- 20 nueces picadas
- 1 taza de yogur natural
- 4 cucharadas de leche de almendras
- 1/2 taza de jarabe de arce sin azúcar
- 1/2 cucharadita de gaseosa
- 1/2 cucharadita de sal
- 4 cucharadas de canela en polvo

Para el glaseado:
- 4 cucharadas de mantequilla derretida
- 1/2 taza de jarabe arce sin azúcar
- 4 cucharadas de canela en polvo

Preparación:

1. Para los muffins: Mezclar todos los ingredientes secos en un bol.
2. Mezclar todos los ingredientes húmedos en un bol.
3. Agregar lentamente los ingredientes secos a los ingredientes húmedos y batir bien.
4. Verter la mezcla en moldes para muffins engrasados (llenar hasta cubrir 3/4 del molde).
5. Llevar a un horno precalentado a 350 F por 20-30 minutos o hasta que estén ligeramente dorados. Sacar del horno y dejar enfriar por 10 minutos.

6. Mientras los muffins se enfrían, mezclar los ingredientes para el glaseado.
7. Soltar los bordes de los muffins con un cuchillo. Voltear sobre un plato y luego cubrir con el glaseado.
8. Servir calientes.

Capítulo 4: Sopas y Ensaladas
Ensalada Tailandesa de Camarones Picantes

Porciones: 6

Ingredientes:

- 1 y ½ libras de camarones pequeños, pelados y desvenados
- 6 cucharaditas de salsa de pescado
- 3 cucharadas de jugo de lima
- 1 ½ cucharadas de aceite de oliva
- Gotas de estevia al gusto
- 1 pimiento rojo mediano picado finamente
- 1 pimiento amarillo mediano picado finamente
- 2 pepinos medianos picados finamente
- Sal al gusto
- ½ cucharadita de pimienta roja triturada
- 2 cucharadas de albahaca fresca picada
- 2 cucharadas de menta fresca picada
- 2 cucharadas de cilantro fresco picado

Preparación:

1. Saltear los camarones a fuego medio por dos minutos hasta que estén bien cocinados.
2. Otra opción es cocinarlos al vapor si así lo prefieres.
3. Transferir los camarones a un bol. Agregar el resto de los ingredientes y mezclar bien.
4. ¡Servir!

Ensalada de Aguacates Rellenos con Pollo

Porciones: 2

Ingredientes:

- 6 oz. de pechuga de pollo
- 2 cucharadas de cebollas rojas picadas en cubo
- 2 aguacates
- 2 tallos de apio
- 2/3 taza de crema agria
- Sal y pimienta al gusto

Preparación:

1. Cocinar la pechuga de pollo a fuego bajo hasta que esté tierna. Desmenuzarla con la ayuda de un par de tenedores.
2. En un bol, mezclar el pollo, la cebolla morada y el apio.
3. Cortar el aguacate en dos mitades y sacar una parte con una cuchara. Luego añadir esta parte del aguacate al relleno de pollo.
4. Mezclar con la crema agria y añadir sal y pimienta.
5. Rellenar los aguacates con la mezcla y servir.

Ensalada de Fideos de Calabacín con Fresas, Queso de Cabra y Pistachos

Porciones: 2

Ingredientes:

Para la ensalada:

- 2 fresas picadas
- 2 tazas de fideos de calabacín
- 2 cucharadas de queso de cabra, rebanado y desmenuzado
- 2 cucharadas de pistachos

Para el aderezo:

- 8 fresas
- 4 cucharadas de aceite de aguacate
- 4 cucharadas de vinagre balsámico
- 1 cucharadita de ajo picado
- ¼ cucharadita de sal
- ¼ cucharadita de pimienta recién molida

Preparación:

1. Mezclar los ingredientes de la ensalada en un bol.
2. Colocar los ingredientes para el aderezo dentro de una licuadora y licuar hasta que se integren completamente.
3. Mezclar la ensalada con 2 cucharadas del aderezo balsámico de fresa y servir.

Ensalada de Salmón

Porciones: 4

Ingredientes:

- 3 tallos de apio picados finamente
- 2 chalotes picadas
- 2 dientes de ajo picados
- 1 pimiento picado finamente
- 1 pepino mediano
- ½ tomate pinto
- ¼ aceite de oliva o cantidad al gusto
- Jugo de ½ limón
- Cáscara de ½ limón
- 1 cucharada de vinagre de vino rojo
- ½ cucharadita sal kosher o cantidad al gusto
- ½ cucharadita de eneldo fresco o seco
- ¼ cucharadita de pimienta negra recién molida
- ¼ cucharadita de paprika ahumada
- ¼ cucharadita de comino molido
- ¼ cucharadita de hojuelas de pimienta roja triturada
- 2 latas de salmón escurridas

Preparación:

1. Cortar el pepino a la mitad por lo largo y luego cortar en rebanadas. Cortar los tomates a la mitad.
2. Agregar todos los ingredientes en un bol grande. Mezclar bien y refrigerar por una hora.
3. Añadir más condimentos si es necesario y servir.

Ensalada de Espinaca y Tocino

Porciones: 3

Ingredientes:

- 4 tazas de espinacas crudas
- ½ taza de chalotes picados
- 6 rebanas de tocino
- 1 cucharada de mantequilla

Preparación:

1. Cortar el tocino finamente. Derretir la mantequilla en una sartén a fuego medio.
2. Agregar los chalotes y el tocino al sartén. Saltear hasta que los chalotes estén dorados y transparentes.
3. Ahora puede agregar la espinaca y cocinarla hasta que las hojas estén sofritas. Añadir junto al resto de los ingredientes y servir caliente.

Ensalada de Pollo al Estilo Tailandés

Porciones: 3

Ingredientes:

- 1 chalote picado
- 3 cucharadas de mayonesa
- 3 cucharadas de yogur natural sin grasa
- 1 cucharadita de jugo de limón
- 1 cucharada de salsa de chili
- 3 tazas de pollo, sin piel, deshuesado y picado
- Pimienta en polvo al gusto
- Sal al gusto
- 1 pimiento rojo pequeño picado
- ½ taza de repollo de Napa picado finamente
- 2 cucharadas de anacardos picados y tostados
- 1 cucharada de aceite de maní.

Preparación:

1. Saltear el pollo a fuego bajo usando aceite de maní.
2. Mezclar bien el resto de los ingredientes y luego añadir el pollo salteado a la mezcla.
3. Servir.

Ensalada de Pollo, Tomate y Tocino

Ingredientes:

Para la ensalada:

- 2 pechugas de pollo grande y crudas (cortadas en trozos de una pulgada cada uno)
- 4 cucharaditas de Canadian Steak Brand (o cualquier otro tipo de sazonador o condimento para carnes)
- 4 cucharadas de mantequilla
- 10 rebanadas de tocino
- 2 tomates pequeños
- 3 oz. de queso muenster

Para el aderezo:

- 3 cucharadas de mantequilla
- 2 huevos crudos (preferiblemente huevos de una gallina en pastoreo, así los huevos tendrán más nutrientes)
- 3 oz. de mayonesa
- 3 cucharaditas de jugo de limón
- 1 cucharadita de sal

Preparación:

La ensalada

1. Agregar el sazonador Canadian Steak al pollo y cubrirlo bien.
2. Llevar una sartén a fuego medio y agregar mantequilla. Cuando empiece a derretirse, agregar las pechugas de pollo y saltearlas.
3. Revisar que el pollo esté bien cocinado antes de retirarlo

del sartén. Reservar a un lado para que se enfríe a temperatura ambiente.

4. Cortar el tocino en tiras finas. Saltear el tocino en una sartén a fuego medio hasta que suelte toda su grasa.

El aderezo

1. Colocar mantequilla en una sartén pequeña y llevarla a fuego bajo. Cuando empiece a derretirse, retirar del fuego y dejar que la mantequilla se enfríe.
2. Agregar las yemas a la mantequilla y batir las dos bien hasta que la mezcla se vea suave y brillante.
3. Agregar el resto de los ingredientes y seguir batiendo hasta que esté suave y ligera.

La ensalada terminada

1. Tomar un plato y añadir todos los ingredientes y el aderezo. Mezclar todos los ingredientes bien.
2. Asegurarse de que todos los ingredientes estén bien cubiertos con el aderezo.

Ensalada de Guisantes Capuchinos y Pollo con Leche de Coco y Lima

Porciones: 4

Ingredientes:

- 16 oz. de filetes de pollo
- 2 tazas de leche de coco ligera
- Gotas de estevia al gusto
- ½ taza de jugo de lima
- 8 tazas de lechuga romana cortadas en tiras
- 2 tazas de guisantes capuchinos picados
- 2 tazas de repollo morado cortado en tiras
- ¼ taza de cebolla roja picada
- 1/3 taza de cilantro fresco picado
- 1 cucharadita de sal al gusto

Preparación:

1. En un bol grande, batir la leche de coco, la estevia, el jugo de lima y la sal. Verter 3/4 de la mezcla en otro bol.
2. Agregar el pollo y mezclar bien.
3. Dejar marinar por 30 minutos y luego transferir la mezcla a una sartén. Cocinar el pollo con este jugo a fuego medio. Dejar que el pollo absorba los jugos mientras se cocina.
4. Retirar el pollo con una espumadera. Cuando esté frío para manejar, cortar el pollo en tiras.
5. Añadir los vegetales a un plato grande junto a 1/4 del aderezo que se había reservado. Mezclar bien.
6. Dividir las porciones y colocar la ensalada en platos individuales. Colocar las tiras de pollo sobre la ensalada. Verter un poco de la salsa con la que se cocinó el pollo sobre el plato y servir.

Ensalada de Langosta

Porciones: 4

Ingredientes:

- 1 y 1/2 libras de langosta americana (cocinada al vapor)
- 4 tazas de repollo chino (Bok-Choy o Pak-Choi) cortado en tiras
- 1 pimiento rojo pequeño
- 8 cebollines medianos
- 2 cucharadas de semillas de sésamo
- Sal al gusto
- Pimienta en polvo al gusto

Para el aderezo:
- 4 cucharadas de vinagre de arroz
- 4 cucharadas de salsa tamari
- 2 cucharadas de aceite de canola
- 2 cucharaditas de aceite de sésamo
- 2 cucharaditas de jengibre triturado

Preparación:

1. Para el aderezo: Mezclar todos los ingredientes juntos en una jarra y agitar con fuerza.
2. Mezclar el resto de los ingredientes en un bol grande. Verter el aderezo sobre la ensalada. Mezclar bien y servir.

Crema de Brócoli

Porciones: 3

Ingredientes:

- 1 cebolla roja picada en trozos grandes
- ½ cucharadita de salsa tamari
- 1 cucharada de aceite de coco
- 2 y 1/2 tazas de agua
- 1 taza de brócoli fresco separado en floretes
- ½ cucharada de caldo deshidratado de pollo
- ½ taza de crema de leche

Preparación:

1. Calentar el aceite de coco en una sartén y saltear las cebollas rojas.
2. Agregar el brócoli y agua. Cocinar por 10 minutos.
3. Verter la sopa en una licuadora y licuar hasta obtener un puré.
4. Llevar a fuego bajo y agregar la crema. Remover la mezcla constantemente.
5. Servir caliente en tazones de sopa.

Sopa Tailandesa de Camarones con Salsa Agria y Picante

Porciones: 2

Ingredientes:

- 8 a 10 camarones pelados, desvenados y con su cola, reservar las cáscaras
- 1 cebolla pequeña picada
- 1 cucharada de aceite de coco, dividido en dos
- 1 pulgada de jengibre azul, pelado y picado en rodajas gruesas
- 2 dientes de ajo
- 2 hojas frescas de lima kaffir o ¼ cucharadita de cáscara de limón rallada
- 1 tallo de citronela picado en trozos de 1 pulgada
- 1 chile rojo tailandés picado en trozos
- ¼ libra de hongos crimini, o shiitake, u ostras, o champiñones, bien lavados y cortados en rodajas
- 2 y ½ tazas de caldo de pollo
- 1 cucharada de jugo de lima fresco
- ½ calabacín verde pequeño rebanado
- Sal al gusto
- Pimienta al gusto
- 1 cucharada de salsa de pescado
- 1 cucharada de jugo de lima fresco
- 2 cucharadas de albahaca fresca picada
- 2 cucharadas de cilantro fresco picado

Preparación:

1. Calentar una sartén a fuego medio. Agregar ½ cucharada de aceite de coco. Cuando se caliente, agregar las cáscaras de camarones que fueron reservadas y remover constantemente hasta que se tornen rojas.
2. Añadir las cebollas, el galangal, el ajo, la citronela, las hojas de lima kaffir o la ralladura de lima, el chile rojo tailandés, sal y pimienta. Saltar por unos minutos hasta que las cebollas estén transparentes.
3. Agregar el caldo y revolver.
4. Dejar que se cocine por 10 minutos o hasta que todos los ingredientes se incorporen y cocinen totalmente.
5. Retirar las cáscaras de camarón con una espumadera. Desechar las cáscaras.
6. Verter el caldo en un bol y reservar.
7. Agregar el aceite de coco restante en una olla.
8. Cuando esté caliente, agregar las rebanadas de calabacín, los champiñones o cualquier otro hongo, sal y pimienta. Saltear por unos minutos hasta que estén tiernos.
9. Agregar el caldo ya cocido en la olla. Añadir los camarones y revolver. Dejar cocinar por otros 5 a 7 minutos.
10. Agregar el jugo de lima, sal, pimienta, y la salsa de pescado. Revolver bien. Probar y añadir más condimentos de ser necesario.
11. Dejar hervir a fuego lento por un par de minutos o hasta que los camarones se cocinen completamente. Agregar cilantro fresco y la albahaca y revolver.
12. Servir inmediatamente en tazones de sopa.

Sopa de Malvas

Porciones: 3

Ingredientes:

- 3 tazas de agua
- 3 piezas de pollo picadas en trozos pequeños
- 1 cubo de caldo de pollo deshidratado
- 1 cebolla pequeña picada
- 1 paquete (14 oz.) de malvas congeladas, en trozos o picadas
- ½ cucharadita de pimienta de Jamaica molida
- 2 dientes de ajo
- 2 cucharadas de aceite de oliva

Preparación:

1. Calentar el aceite en una sartén y saltear las cebollas. Cuando estén transparentes, agregar el pollo y revolver. Añadir agua y dejar que se cocine.
2. Cuando el pollo se haya cocinado, dejar reposar por un tiempo. Remover la grasa que flota en la parte superior del caldo.
3. Agregar las malvas, el cubo de caldo, la pimienta de Jamaica y dejar que la mezcla se cocine a fuego lento por 10 minutos.
4. Mientras se cocina, aplastar los dientes de ajo con un poco de sal.
5. Llevar una sartén pequeña a fuego medio. Agregar aceite. Cuando se caliente, agregar el ajo y saltear hasta que esté dorado. Añadir a la sopa esta mezcla de aceite y ajo y dejar que se cocine a fuego lento por otros 5 minutos.
6. Servir bien caliente en tazones de sopa.

Sopa de Pollo con Fideos de Calabacín (receta para olla eléctrica)

Porciones: 4 tazas

Ingredientes:

- 1 cebolla pequeña picada
- 2 cucharaditas de aceite de coco
- 2 dientes de ajo picados
- 1 jalapeño picado
- 1 pimiento rojo pequeño picado finamente
- ½ libra de pechuga de pollo cortada en filetes pequeños
- 3 tazas de caldo de pollo
- 1 cucharada de salsa de pescado
- Jugo de una lima
- 1 calabacín mediano
- 8 oz. de leche de coco entera
- 2 cucharaditas de pasta de curry verde tailandés
- ¼ taza de cilantro fresco

Preparación:

1. Seleccionar la opción "Saltear" en la olla. Añadir aceite. Cuando el aceite se caliente, agregar las cebollas y saltear hasta que estén transparentes.
2. Agregar jalapeño, la pasta de curry verde y saltear hasta que desprenda su aroma. Agregar caldo y leche de coco y mezclar bien.
3. Añadir el pimiento rojo, pollo, salsa de pescado y revolver. Presionar el botón para "Cancelar".
4. Seleccionar la opción "Sopa" y ajustar el tiempo para 15 minutos. Dejar que la presión en la olla se disipe de forma natural. Agregar cilantro y jugo de limón y luego

revolver.

5. Mientras se cocina, preparar los fideos de calabacín: Usar un espiralizador de verduras con el calabacín. Otra opción es usar un pelador en juliana y hacer los fideos.

6. Dividir y colocar los fideos de calabacín en 4 tazones de sopa. Verter la sopa en cada uno. Servir inmediatamente.

Crema de Champiñones

Porciones: 3

Ingredientes:

- 1 cebolla cortada en trozos
- ½ cucharada de salsa tamari
- 1 cucharada de aceite de coco
- 1 paquete de portobellos
- ½ taza de crema de leche
- 2 y ½ tazas de agua
- ½ cucharada de sopa de champiñones deshidratada

Preparación:

1. Calentar el aceite de coco en una sartén y agregar las cebollas. Saltear hasta que estén transparentes.
2. Agregar los portobellos y la salsa tamari. Cocinar por 2 minutos.
3. Verter agua y cocinar hasta que estén tiernos.
4. Llevar la sopa a una licuadora y hacerla puré.
5. Verter la sopa de vuelta en la sartén. Calentar la sopa.
6. Bajar el fuego y agregar la crema de leche. Remover la mezcla.
7. Verter la crema en tazones de sopa y servir caliente.

Capítulo 5: Refrigerios
Albóndigas Italianas Keto

Porciones: 4

Ingredientes:

- 4 oz. de cebolla blanca picada
- 2 cucharaditas de condimentos italianos
- 1 y ½ cucharaditas de sal marina
- 1 cucharadita de pimienta negra recién molida
- 1 taza de romano rallado / parmesano / o asiago
- 1 huevo grande
- 1 libra de carne molida (92% magra)
- 1 taza de queso ricotta de leche entera
- 1 cucharadita de aceite de oliva
- 1 y ½ cucharaditas de ajo granulado

Preparación:

1. Precalentar el horno a 350 F.
2. Llevar una olla a fuego medio. Agregar el aceite de oliva. Una vez se caliente, agregar las cebollas y saltear hasta que estén transparentes.
3. Cuando estén listas, retirar la sartén del fuego y dejar que se enfríen.
4. Triturar el romano/parmesano/asiago en una licuadora o procesador de alimentos.
5. En un bol grande, mezclar bien los huevos con el queso ricotta. Asegurarse de que no queden grumos en la mezcla y que esté bastante suave.
6. Añadir sal, pimienta y las especias a la mezcla. Revolver

bien. Asegurarse de que las especias se hayan integrado completamente a la mezcla de huevo.

7. Agregar las cebollas salteadas a la mezcla junto al romano/parmesano/asiago. Mezclar los ingredientes bien.

8. Agregar vinagre al bol y revolver bien para que la mezcla quede suave.

9. Cuando la mezcla esté homogénea, añadir la carne molida. Asegurarse de que toda la mezcla se haya integrado bien antes de agregar la carne y añadir más condimentos de ser necesario.

10. Dividir toda la mezcla en porciones de una pulgada cada una. Con este tamaño, tendrás 20 piezas de carne.

11. Dar formar de albóndiga a las 20 piezas.

12. Engrasar una bandeja para hornear con aceite de oliva y colocar en ella las albóndigas. Llevar al horno por 20 minutos. ¡Asegurarse de que estén doradas por fuera antes de servir!

Enchiladas de Pollo y Queso

Porciones: 3

Ingredientes:

- 3 tazas de vegetales mixtos
- 2 libras de pollo molido
- 1 taza de queso derretido
- ½ taza de chalotes picados
- 2 tortillas
- 1 cucharada de mantequilla

Preparación:

1. Derretir la mantequilla en una sartén a fuego medio.
2. Agregar los chalotes y el pollo. Saltear hasta que los chalotes estén dorados y transparentes.
3. Agregar el resto de los ingredientes.
4. Llevar la mezcla a una tortilla y enrollar. Agregar el queso.
5. Servir junto a una salsa de mayonesa.

Pollo con Cinco Especias Chinas

Porciones: 8

Ingredientes:

- 1 y ½ libras de muslos de pollo
- 2 dientes de ajo picados
- 1 pulgada de jengibre rallado
- 2 cucharaditas de cinco especias en polvo
- 1 cebolla mediana picada finamente
- 2 cucharadas de cilantro fresco
- ½ taza de caldo de pollo
- Sal al gusto
- Pimienta al gusto

Preparación:

1. Llevar los muslos de pollo a una olla. Verter el caldo de pollo. Agregar el ajo, jengibre y las cebollas. Para finalizar, condimentar con las cinco especias en polvo, sal y pimienta.
2. Dejar hervir a fuego lento hasta que el pollo esté completamente cocinado.
3. Servir caliente.

Bizcochos de Queso Cheddar y Pimientos

Porciones: 6

Ingredientes:

- 5 tazas de harina de almendras
- 12 oz. de queso Colby Jack (rallado)
- 10 cucharadas de mantequilla
- 16 oz. de queso crema
- 4 huevos grandes o 6 huevos medianos
- 4 cucharaditas de pimienta molida
- 2 cucharaditas de bicarbonato de sodio
- 2 cucharaditas de goma xantana
- 2 cucharaditas de sal marina

Preparación:

1. Tomar una bandeja para hornear y engrasarla bien. Otra opción es usar papel vegetal si no quieres engrasarla.
2. Precalentar el horno a 300 F.
3. Llevar el queso rallado y una taza de harina de almendras a un procesador de alimentos hasta que se integren bien en una mezcla granulada. Reservar.
4. En un bol grande, mezclar la mantequilla y el queso crema y reservar. Antes de hacerlo, es necesario derretir un poco la mantequilla, y después mezclar el queso y la mantequilla juntos. Asegurarse de que la mezcla sea suave y brillante.
5. Añadir los huevos a la mezcla y seguir batiendo. La mezcla debe estar suave y brillante.
6. Agregar pimienta, goma xantana, el bicarbonato y la sal.
7. Agregar la mezcla procesada de harina y queso a la mezcla de huevo. Batir bien.

8. Cuando los ingredientes se hayan integrado, agregar el resto de la harina de almendras y mezclar con movimientos envolventes. Continuar hasta se haya formado una masa.

9. Tomar una cuchara pequeña para sacar porciones de la masa y llevarlas a la bandeja. Los bizcochos deben estar a una pulgada de distancia. Si quieres, puedes aplanar un poco la masa para asegurar que el bizcocho se verá uniforme.

10. Hornear por 30 minutos. Los bizcochos deben hornearse hasta que estén dorados.

11. Retirar los bizcochos del horno y dejar enfriar a temperatura ambiente. Servir acompañados de un vaso de leche.

Mini Tacos

Porciones: 3

Ingredientes:

- 1 cucharada de mantequilla
- ½ cebolla amarilla picada
- 1 y ½ dientes de ajo picados
- ½ libra de carne molida
- 2 oz. de chiles verdes enlatados
- 1 cucharaditas de comino molido
- 1cucharadita de chili en polvo
- ½ cucharadita de cilantro molido
- ½ taza de crema agria
- 1 taza de queso cheddar rallado

Preparación:

1. Precalentar el horno a 350 F.
2. Llevar una sartén mediana a fuego medio. Agregar la mantequilla y esperar a que se derrita.
3. Saltear las cebollas. Asegurarse de que estén suaves y transparentes.
4. Agregar la carne a la sartén y cocinar hasta que esté dorada.
5. Agregar las especias junto a los chiles verdes y cocinar por 5 minutos.
6. Bajar el fuego y agregar el queso y la crema. Cocinar a fuego lento por unos minutos.
7. Seguir revolviendo la mezcla por unos minutos hasta que el queso se haya derretido e integrado bien a la carne.
8. Precalentar unas tortillas y rellenar con la mezcla.

9. Llevar al horno después de rellenar con la carne por unos minutos hasta que el queso empiece a burbujear.
10. Servir caliente.

Batido de Coco y Frutas Mixtas

Ingredientes:

- 8 cubos de hielo
- 3/4 taza de leche de coco sin azúcar
- 1/4 taza de crema espesa
- 15 gotas de estevia
- 1/2 cucharadita de extracto de mango
- 1/4 cucharadita de extracto de banana
- 1/4 cucharadita de extracto de arándano
- 2 cucharadas de aceite de linaza
- 1 cucharada de aceite de TCM

Preparación:

1. Verter los cubos de hielo en una licuadora. Agregar la leche de coco y la crema espesa.
2. A esta mezcla añadir las 15 gotas de estevia. Mezclar bien y añadir media cucharadita de extracto de mango y un cuarto de cucharadita de extracto de banana y de arándano.
3. Licuar a velocidad media por 2 minutos y dejar que repose 30 segundos.
4. Agregar el aceite de linaza y el aceite TCM. Mezclar por otro minuto.
5. Verter en vasos y servir bien frío.

Panqueques de Calabacín

Porciones: 3

Ingredientes:

- 2 calabacines triturados
- 2 tazas de harina de almendras
- 3 huevos
- 2 cucharaditas de albahaca seca
- 2 cucharaditas de perejil seco
- Sal y pimienta al gusto
- 3 cucharadas de mantequilla

Preparación:

1. En un bol pequeño, colocar el calabacín triturado junto a la albahaca y la harina de almendras.
2. Mezclar bien los ingredientes. Una vez que el calabacín esté cubierto completamente por la harina, agregar el perejil, la sal y la pimenta.
3. Probar la mezcla y condimentar si es necesario.
4. Esta mezcla alcanza aproximadamente para 10 tortitas.
5. Llevar una sartén antiadherente a fuego medio.
6. Agregar una cucharadita de mantequilla. Cuando se derrita, cocinar las tortitas una tras otra.
7. Sacar las tortitas cuando estén doradas por ambos lados.

Pollo Tandoori

Porciones: 6

Ingredientes:

- 1 cucharadita de pasta de ajo
- 1 cucharadita de pasta de jengibre
- 6 muslos de pollo con hueso, sin piel y sin grasa
- 1 cucharadita de comino molido
- 1 cucharadita de sal
- ½ cucharadita de canela molida
- 1 cucharadita de cúrcuma molida
- ¼ cucharadita de ajo molido
- ½ taza de yogur espeso
- 2 cucharadas de jugo de limón fresco
- 2 cucharadas de cilantro fresco picado
- Aros de cebolla para servir (opcional)

Preparación:

1. Para obtener yogur espeso, colocar el yogur en un colador de malla fina por una hora. Con esto se escurrirá el exceso de líquido.
2. Mezclar todos los ingredientes en un bol excepto el pollo, el jugo de limón y el cilantro.
3. Agregar el pollo a la mezcla y revolver hasta que esté bien cubierto. Cubrir y refrigerar por al menos 2-3 horas.
4. Sacar del refrigerador 30 minutos antes de cocinar.
5. Calentar una sartén con algo de aceite y sellar el pollo tandoori cocinándolo por todos los lados (2-3 minutos aproximadamente por cada lado)
6. Precalentar el horno a 300 F por 30 minutos. Llevar las piezas de pollo a una bandeja para hornear. Hornear por 30 minutos.

7. Trasferir a un plato para servir. Rociar con el jugo de limón y esparcir el cilantro por encima. Servir con aros de cebolla si lo desea.

Burritos de Tocino

Porciones: 3

Ingredientes:

- 4 tazas de espinaca cruda
- ½ taza de chalotes picados
- 6 rebanadas de tocino
- 2 tortillas
- 1 cucharada de mantequilla

Preparación:

1. Cortar el tocino en tiras finas. Derretir la mantequilla en una sartén a fuego medio.
2. Agregar los chalotes y el tocino. Saltear hasta que los chalotes estén dorados y transparentes.
3. Agregar la espinaca y cocinar hasta que las hojas estén sofritas.
4. Mezclar los ingredientes.
5. Llevar la mezcla a una tortilla y enrollar.
6. Servir con una salsa de mayonesa.

Batido de Pitaya y Coco

Ingredientes:

- ½ pitaya picada en trozos gruesos
- 1/2 taza de melón de Galia
- 1/2 taza de leche de coco
- 2 cucharadas de polvo de proteína con sabor a vainilla
- 1 cucharada de semillas de chía
- 6 a 8 gotas de estevia
- 1/2 taza de agua
- 4 cubos de hielo

Preparación:

1. En una licuadora, colocar la pitaya picada y el melón de Galia. Verter media taza de leche de coco y 2 cucharadas de polvo de proteína a la licuadora.
2. Añadir una cucharada de semillas de chía y 6 a 8 gotas de extracto de estevia.
3. Verter el agua y los cubos de hielo.
4. Licuar todos los ingredientes a velocidad media hasta que la mezcla tenga una textura suave.
5. Verter en vasos. Servir inmediatamente.

Mini Tartas de Cangrejo

Porciones: 2

Ingredientes:

- ½ lata de carne de cangrejo
- 4 oz. de queso crema
- ¼ taza de crema
- ½ cucharada de jugo de limón
- 1 cucharada de cebolla picada finamente
- 1 cucharada de pimiento rojo picado finamente
- 1 cucharada de apio picado finamente
- ¼ taza de mostaza en polvo
- ¼ cucharadita de sal

Preparación:

1. Precalentar el horno a 350 F.
2. Escurrir la lata de carne de cangrejo y limpiar la carne bien. Retirar cualquier trozo de caparazón.
3. Dejar el queso crema a temperatura ambiente para que se ablande.
4. Mezclar todos los ingredientes en un bol grande.
5. Hornear las mini tartas en el horno.
6. Rellenar las tartas con la mezcla de cangrejo y llevarlas al horno nuevamente por 10 minutos a 350 F. Servir calientes.

Champiñones Salteados al Estilo Libanés (receta para olla eléctrica)

Porciones: 2

Ingredientes:

- 6 oz. de champiñones cortados en rebanadas gruesas
- 1 cucharadita de menta fresca picada
- 2 cucharaditas de perejil fresco picado
- ¼ cucharadita de canela molida
- ¾ cucharadita de cilantro molido
- Una pizca de ajo en polvo
- 2 cucharaditas de jugo de limón
- Sal al gusto
- Pimienta en polvo al gusto
- 1 y ½ cucharadas de aceite de oliva

Preparación:

1. Seleccionar la opción "Saltear" en la olla. Agregar aceite. Cuando el aceite esté caliente, agregar los champiñones, el ajo en polvo, el cilantro molido y la canela molida.
2. Saltear por unos minutos hasta que estén tiernos.
3. Agregar menta, perejil, sal, pimienta y jugo de limón. Remover bien los ingredientes.
4. Servir caliente.

Capítulo 6: Platos Fuertes
Salteado de Carne de res y Vegetales mixtos

Porciones: 4

Ingredientes:

- 1 libra de carne de res
- 2 cucharadas de aceite de coco
- 1 taza de cebollas picadas
- 2 tazas de brócoli picado
- 1 cucharada de semillas de sésamo
- 3 cucharadas de cebollín picado
- 1 taza de castañas cortadas

Preparación:

1. Limpiar bien la carne y cortarla en trozos de tamaños iguales.
2. Llevar una sartén a fuego medio. Agregar aceite de coco y esperar a que se caliente.
3. Cuando el aceite esté caliente, colocar la carne.
4. Cocinar la carne hasta que esté dorada por todos los lados.
5. Retirar la carne de la sartén y reservar.
6. Saltear la cebolla y el brócoli en la sartén por unos minutos. La cebolla debe cocinarse hasta estar transparente y el brócoli debe estar bien salteado.
7. Traer la carne de vuelta a la sartén y sofreír por unos minutos hasta que los sabores se integren bien. Si lo deseas, puedes agregar más vegetales a este plato.

Pollo Relleno

Porciones: 2

Ingredientes:

- 4 pechugas de pollo sin piel y deshuesadas
- ½ botella de marinada de hierbas y ajo
- Hojas de albahaca fresca
- 2 tomates cortados
- 4 rebanadas de queso mozzarella
- 12 rebanadas de tocino

Preparación:

1. Cortar la pechuga de pollo horizontalmente y verter la marinada sobre las pechugas abiertas.
2. Dejar marinar por 30 minutos.
3. Mientras tanto, precalentar el horno a 400 F.
4. Llevar el pollo a una sartén para hornos y cubrir con suficientes tomates
5. Colocar queso en el pollo y envolver completamente. Pinchar con palillos para que no se abran las pechugas.
6. Envolver cada pechuga con 3 rebanadas de tocino.
7. Hornear por 20 minutos.
8. Voltear el pollo y cocinar por 15 minutos más.

Lasaña de Calabaza Espagueti con Albóndigas

Porciones: 8

Ingredientes:

- 5 tazas de calabaza espagueti asada (aproximadamente 3 calabazas)
- 2 tazas de queso parmesano rallado
- 4 tazas de queso mozzarella rallado
- 2 libras de carne molida
- 1 cucharadita de albahaca
- 2 cucharadita de chili en polvo
- 1 cucharadita de orégano
- 6 dientes de ajo pelados
- Sal marina al gusto
- Pimienta en polvo al gusto
- 2 cucharaditas de hojuelas de pimiento rojo
- 3 tazas de salsa marinara baja en carbohidratos
- 2 huevos
- 2 cucharadas de ghee (mantequilla clarificada india) o aceite de coco

Preparación:

1. Precalentar el horno a 350 F.
2. Pelar la calabaza espagueti (alrededor de 3 calabazas medianas), remover las semillas y cortar en trozos. Asar en el horno a 350F por una hora aproximadamente. Medir 5 tazas de calabaza espagueti y aplastar ligeramente. También se puede asar la calabaza sin cortarla. Luego pelarla, remover las semillas y aplastarla después de asada.
3. Cortar el ajo finamente y reservar.
4. Llevar la salsa marinara y las hojuelas de pimiento rojo a

una sartén, cubrir con una tapa y cocinar a fuego lento por 5 minutos.

5. Para hacer las albóndigas: En un bol grande, mezclar bien la carne molida con albahaca, chili en polvo, ajo, orégano, sal, pimienta y los huevos usando las manos.

6. Humedecer las manos y hacer albóndigas pequeñas con la mezcla.

7. Llevar una sartén a fuego medio bajo. Agregar una cucharada de ghee. Cuando se caliente, colocar la mitad de las albóndigas (no colocar demasiadas, freír en tandas).

8. Voltear y freír todos los lados hasta que estén dorados. Retirar las albóndigas y reservar en un plato.

9. Repetir el proceso con el resto de las albóndigas.

10. Tomar un molde para hornear. Esparcir ¾ de taza de salsa marinara. Luego colocar por encima la calabaza espagueti seguida de las albóndigas.

11. Cubrir con una capa de queso parmesano, seguida de otra capa de salsa y luego más calabaza espagueti.

12. Colocar más albóndigas. Esparcir la mitad del queso mozzarella sobre ellas. Terminar la última capa con el resto de la salsa, la calabaza espagueti, albóndigas y queso mozzarella.

13. Hornear en un horno precalentado a 350 F por 30 minutos.

Kebab de Pollo

Porciones: 4

Ingredientes:

- Un puñado de almendras
- 6 chiles jalapeños picados y sin semillas
- 8 dientes de ajo
- 1 taza de cilantro fresco picado
- Una pizca de sal
- Jugo de un limón
- ½ taza de crema espesa
- 2 libras de pechuga de pollo sin piel y deshuesada
- Mantequilla

Preparación:

1. Cortar la pechuga de pollo en piezas de pulgada y media.
2. Licuar las almendras, los jalapeños, el ajo y el cilantro hasta obtener una mezcla suave. Luego agregar la crema y licuar. Cubrir el pollo con esta salsa.
3. Precalentar la parilla a 375 F por 30 minutos.
4. Pinchar la carne (4 piezas por pincho) y sazonar bien cada pincho.
5. Untar mantequilla con una brocha sobre los pinchos
6. Cocinar el pollo a fuego medio hasta que esté listo.

Deliciosa Hamburguesa de Carne e Hígado de Pollo

Porciones: 2

Ingredientes:

- 0,6 libras de carne molida
- ½ cucharadita de sal
- 4 oz. de hígado de pollo
- ¾ cucharadita de cilantro molido
- ½ cucharadita de pimienta negra molida
- ½ cebolla pelada
- ½ cucharadita de condimento para aves

Preparación:

1. Moler el hígado de pollo y la cebolla en un procesador de alimentos.
2. Agregar la carne molida y las especias al procesador y procesar todos los ingredientes. Llevar la mezcla a un bol.
3. Separar la mezcla en 4 porciones de tamaños iguales.
4. Humedecer las manos y dar forma a las hamburguesas.
5. Cocinar las hamburguesas a la parilla.
6. Servir sobre una cama de lechuga.

Hot Dogs Rellenos de Queso y Envueltos en Tocino

Porciones: 10

Ingredientes:

- 10 salchichas
- 20 rebanadas de tocino
- 3 oz. de queso cheddar cortado en triángulos pequeños
- 1 cucharadita de ajo en polvo
- 1 cucharadita de cebolla en polvo
- Sal al gusto
- Pimienta al gusto

Preparación:

1. Cortar las salchichas en el medio dejando los lados intactos.
2. Rellenar cuidadosamente con los trozos de queso.
3. Envolver la salchicha con 2 rebanadas de tocino. Primero colocar una rebanada de tocino en un extremo, pinchar con un palillo y empezar a envolver. Colocar la otra rebanada en el extremo opuesto al primero. Pinchar con otro palillo y envolver.
4. Condimentar con sal, pimienta, cebolla y ajo en polvo.
5. Llevar a una rejilla dentro de un horno precalentado.
6. Hornear a 400 F por 40 minutos o hasta que estén doradas.
7. Servir los hot dogs con una salsa cremosa de espinacas.

Pasta con Pollo y Salsa Tailandesa

Porciones: 4

Ingredientes:

- 1 cucharadita de curry en polvo
- 7 oz. de muslos de pollo
- 2 cucharadas de mantequilla sin sal
- 2 cucharadas de aceite de coco
- 3 tallos de cebollín picados finamente
- 3 dientes de ajo picados finamente
- 2 huevos
- 3 oz. de frijoles germinados (germinado de soja)
- 7 oz. de calabacín
- 2 cucharaditas de salsa de soya
- 1 cucharadita de salsa de ostras
- 1/4 cucharadita de pimienta blanca en polvo
- 2 cucharaditas de jugo de lima
- 2 chiles rojos picados
- Sal al gusto
- Pimienta al gusto

Preparación:

1. Llevar el pollo a bol y condimentar con curry en polvo, una pizca grande de sal y una de pimienta. Reservar.
2. Mientras tanto, preparar los fideos de calabacín con un espiralizador de verduras.
3. Para la salsa: Mezclar en un bol la salsa de soya, la salsa de otras y la pimienta blanca en polvo.
4. Llevar una sartén antiadherente a fuego medio. Agregar la mantequilla y el pollo. Sofreír hasta que esté dorado. Dejar enfriar y cortar en trozos pequeños.
5. En la misma sartén, agregar el aceite de coco. Agregar

cebollín y saltear por unos minutos.

6. Agregar ajo y saltear por otro minuto. Abrir los huevos en la sartén y hacerlos revueltos. Cocinar hasta que estén ligeramente dorados.
7. Añadir los frijoles germinados y los fideos de calabacín. Mezclar bien. Agregar la salsa preparada antes y mezclar bien.
8. Cocinar hasta que el líquido se haya evaporado casi totalmente.
9. Añadir el pollo picado, jugo de lima y los chiles rojos. Mezclar bien.
10. Servir caliente.

Cazuela Reuben

Porciones: 4

Ingredientes:

- 3/4 libra de carne en salmuera cortada en cubos
- 3/4 chucrut de lata escurrido
- 1 y 1/2 tazas de queso suizo rallado
- 6 cucharadas de mayonesa
- 6 oz. de queso crema
- 6 cucharadas de salsa de tomate ligera
- 2 cucharadas de salmuera de pepinos o ½ cucharadita de vinagre
- 1/2 cucharadita de semillas de alcaravea

Preparación:

1. Llevar una olla a fuego bajo. Agregar queso crema, mayonesa y salsa de tomate. Cuando se derrita, agregar la mitad del queso suizo, el chucrut y la carne. Revolver bien hasta que los ingredientes se integren y el queso se derrita.
2. Retirar del fuego y añadir la salmuera de pepinos. Mezclar bien. Transferir a un molde para hornos engrasado.
3. Esparcir por encima el resto del queso y las semillas de alcaravea.
4. Llevar a un horno precalentado a 350 F hasta que el queso esté ligeramente dorado.
5. Servir caliente.

Cerdo salteado con Jengibre y Brócoli

Porciones: 4

Ingredientes:

- 2 cucharadas de mantequilla
- 1 libra de chuletas de cerdo cortadas en pedazos pequeños
- 1 cucharadita de sal kosher
- 1 cucharadita de ajo en polvo
- 1 cucharadita de jengibre en polvo
- 1 cucharadita de cebolla en polvo
- 2 cucharadas de jugo de limón
- ½ cucharadita de salsa de pescado
- ½ cucharadita de pimienta molida
- 4 tazas de floretes de brócoli
- 1 taza de Aminos de coco (aderezo de coco)
- Algunas hojas frescas de cilantro picadas
- 1 cucharadita de hojuelas de pimiento rojo
- Dos rodajas de limón para decorar

Preparación:

1. Derretir mantequilla en una sartén a fuego bajo.
2. Mezclar el polvo de ajo, de jengibre, la sal y la pimienta en un bol.
3. Agregar las chuletas cortadas a la sartén y condimentar con la mezcla de especias preparada anteriormente. Cocinar el cerdo de 3 a 4 minutos a fuego alto hasta que esté dorado por ambos lados. Transferir a otro bol.
4. Bajar el fuego y agregar el Aminos de coco a la sartén junto al jugo de limón y la salsa de pescado. Dejar de

cocinar a fuego medio por 8-9 minutos hasta que la salsa espese.

5. Cocinar los floretes de brócoli en tandas en una olla vaporera por 5 minutos. Asegurarse de que el vapor no cocine demás los brócolis.
6. Colocar las brócolis al vapor en un plato grande. Agregar el cerdo salteado sobre los floretes.
7. Verter la salsa sobre el cerdo.
8. Decorar con cilantro fresco y las rodajas de limón.
9. Servir caliente.

Col Rizada con Tocino, Cebolla y Ajo

Porciones: 2

Ingredientes:

- 2 racimos grandes de col rizada
- 2 tazas de cebollas picadas
- 4 dientes de ajo
- 6 rebanadas de tocino crudo
- 4 cucharadas de mantequilla

Preparación:

1. Llevar un sartén a fuego medio y agregar mantequilla.
2. Cortar el tocino en tiras pequeñas o piezas y llevarlos a la sartén.
3. Cocinar el tocino completamente.
4. Agregar la cebolla al sartén y saltearla hasta que esté transparente. Agregar ajo.
5. Cuando el ajo y las cebollas estén listas, agregar las hojas de col rizada.
6. Saltear a fuego medio, revolviendo ocasionalmente. Voltear las hojas para que se cocinen bien. Mezclar bien la cebolla y el tocino con las hojas.
7. Seguir cocinando la col rizada hasta que esté tierna. Esto puede tomarse una hora.

Pizza Frita con Mozzarella y Pesto sin Masa

Porciones: 2

Ingredientes:

- 2 cucharadas de infusión de aceite de oliva y ajo
- 2/3 taza de salsa de tomate
- 3 tazas de queso mozzarella
- Queso parmesano rallado al gusto
- Condimentos italianos al gusto

Ingredientes sobre la pizza:

- 4 cucharadas de pesto
- ½ taza de queso mozzarella rallado
- 4 bolas de mozzarella pequeñas rebanadas en 8 rodajas

Preparación:

1. Llevar una sartén antiadherente a fuego medio y verter la infusión de aceite de oliva y ajo. Cuando se caliente, añadir la mozzarella. Revolver con una espátula y esparcir bien sobre la sartén.
2. Cuando comience a dorarse por los bordes, esparcir la salsa de tomate sobre la mozzarella. Cocinar por un minuto.
3. Levantar la pizza con cuidado usando la espátula y llevarla a un molde circular para pizzas.
4. Agregar el queso parmesano y el condimento italiano. Esparcir mozzarella sobre la pizza. Rociar con un poco de pesto. Colocar por encima las rodajas de mozzarella.
5. Asar en un horno precalentado por 2 minutos.
6. Cortar las porciones y servir.

Salmón al Horno con Hierbas

Porciones: 3

Ingredientes:

- 1 libra de filetes de salmón
- 2 oz. de aceite de sésamo
- ¼ taza de salsa de soja tamari
- ½ cucharadita de ajo triturado
- ¼ cucharadita de jengibre molido
- ¼ cucharadita de albahaca
- ½ cucharadita de hojas de orégano
- ¼ cucharadita de tomillo
- ¼ cucharadita de romero
- ¼ cucharadita de estragón
- 2 oz. de mantequilla
- ¼ taza de champiñones frescos picados
- ¼ taza de cebollín picado

Preparación

1. Cortar los filetes de salmón y llenar una taza.
2. Tomar una bolsa de plástico pequeña y colocar el salmón dentro de ella. Llevar la bolsa al congelador.
3. Mezclar la salsa, el aceite y las especias juntas.
4. Verter esta mezcla en el salmón y llevar de vuelta al refrigerador. Dejar marina por unas cuantas horas.
5. Precalentar el horno a 300 F.
6. Cubrir una bandeja para hornear con papel de aluminio.
7. Sacar el salmón del congelador y colocarlo en la bandeja. Esparcir bien el salmón para que esté en una capa uniforme.
8. Hornear los filetes de salmón por 15-20 minutos.
9. Mientras se hornea el salmón, cocinar los vegetales.

10. Llevar los vegetales a un bol pequeño. Derretir la mantequilla y agregarla al bol. Asegurarse de que todos los vegetales estén cubiertos por la mantequilla.
11. Retirar la bandeja del horno y volcar la mezcla de vegetales cubiertos en mantequilla a la bandeja.
12. Llevar la bandeja al horno nuevamente por 15 minutos. ¡Servir bien caliente!

Salmón Curado Dulce y Salado con Huevos Revueltos y Cebollín

Porciones: 2

Ingredientes:

- 4 huevos
- 7 cucharadas de crema de leche
- 4 cucharadas de mantequilla
- 2 cucharadas de cebollín fresco picado
- 2 a 6 rebanas de salmón curado
- Sal y pimienta al gusto

Preparación:

1. Batir los huevos. Llevar una sartén a fuego medio y derretir la mantequilla. Luego agregar los huevos batidos y cocinarlos. Seguir revolviendo y añadir la crema de leche.
2. Bajar el fuego y seguir revolviendo la mezcla hasta que se vuelva cremosa.
3. Decorar con cebollín picado, sal y pimienta. Servir con las rebanadas de salmón curado.

Pimientos Poblanos Rellenos

Porciones: 4

Ingredientes:

- 2 libras de cerdo molido
- 8 pimientos poblanos
- 2 tomates vid picados en cubo
- 1 cebolla pequeña cortada
- 2 cucharadas de grasa de tocino
- 14 hongos portobello bebé rebanados
- 1/2 taza de cilantro picado
- Sal al gusto
- Pimienta en polvo al gusto
- 2 cucharaditas de chili en polvo o al gusto
- 2 cucharaditas comino en polvo
- 2 dientes de ajo picados

Preparación:

1. Precalentar el horno a temperatura para asar. Colocar los pimientos poblanos en una bandeja para hornear y asar en el horno por 8-10 minutos hasta que estén carbonizados. Voltear los pimientos cada par de minutos.
2. Pelar la piel externa de los pimientos.
3. Llevar una sartén a fuego medio alto y agregar la grasa de tocino. Cuando se caliente, agregar el cerdo molido, sal y pimienta. Cocinar hasta que esté dorado. Agregar el comino y el chili en polvo.
4. Retirar el cerdo de la sartén y reservar. Agregar cebollas y ajo a la sartén y saltear hasta que estén transparentes. Añadir los portobellos y saltear bien. Luego agregar los tomates y el cilantro.
5. Con un cuchillo, abrir un lado del pimiento poblano,

desde el tallo hasta la parte inferior. Retirar las semillas.
6. Rellenar el pimiento con la mezcla de cerdo. Llevar al horno a 350 F por unos 8 minutos.
7. Sacar del horno y servir.

Chow Mein de Camarón

Porciones: 4

Ingredientes:

- 1 calabaza espagueti mediana
- 1 taza grande de camarones pelados y desvenados
- 4 tazas pequeñas de varias coles
- 2 cebollines picados finamente
- 2 dientes de ajo triturados
- 2 pimientos rojos deshidratados
- ½ cucharadita de jengibre triturado
- 1 cucharadita de granos de pimienta enteros
- 1 cucharada de aceite de sésamo
- 3 cucharadas de Aminos de coco (aderezo de coco)
- ¾ cucharadita de sal
- 1 cucharada de azúcar de palma

Preparación:

1. Precalentar el horno a 300 F.
2. Cortar la calabaza en dos mitades y hornear por 40 minutos. Cuando esté fría, llevar al espiralizador de verduras y hacer fideos delgados.
3. Calentar aceite de sésamo en una olla a fuego medio.
4. Cocinar en ella ajo triturado, cebollín, jengibre, pimientos rojos, granos de pimienta y sofreír por 2 minutos hasta que los ingredientes desprendan su aroma.
5. Agregar el camarón, algo de sal y azúcar. Cocinar 4-5 minutos hasta que el camarón esté tierno.
6. Agregar las diversas coles y cocinar por 2 minutos más hasta que todo se cocine.
7. Añadir los fideos de calabaza y revolver bien. Retirar del

fuego y transferir a un plato grande.

8. Rociar un poco del Amino de coco por encima y servir caliente.

Hamburguesas de Champiñones

Porciones: 2

Ingredientes:

Para el pan:

- 4 sombreros de portobello
- 1 cucharada de aceite de coco extra virgen
- 2 dientes de ajo
- 2 cucharaditas de orégano
- Sal y pimienta recién molida al gusto

Para la hamburguesa:

- 12 oz. de carne molida
- 2 cucharadas de mostaza Dijon
- Sal al gusto
- Pimienta negra recién molida al gusto
- ½ taza de queso cheddar

Preparación:

1. En un bol, mezclar el aceite de coco, el ajo, el orégano, sal y pimienta.
2. Lavar los hongos portobello y colocar en la mezcla del bol para marinarlos.
3. Mientras tanto, calentar una plancha a fuego alto y asar los portobellos.
4. En otro bol, mezclar la carne, la mostaza Dijon, sal, pimienta y el queso.
5. Integrar todo bien y dar forma a 2 hamburguesas. Llevar las hamburguesas a la plancha.
6. Colocar la hamburguesa entre dos sombreros de

portobello. Servir con cebollas y tomates.

Rollos de Pizza de Queso sin Masa

Porciones: 2

Ingredientes:

- ½ taza de pimientos rojos y verdes picados
- 2 cucharadas de cebollas picadas
- 2 tazas de queso mozzarella
- ½ taza de salchichas cocinadas y picadas finamente
- 1 cucharadita de condimento para pizzas
- ¼ taza de salsa de pizza
- 1 -2 tomates uva cortados en rodaja

Preparación:

1. Colocar papel vegetal sobre una bandeja para hornear y engrasarlo un poco con aceite de oliva.
2. Esparcir el queso rallado de manera uniforme sobre la bandeja sin dejar espacios.
3. Sazonar con el condimento para pizzas.
4. Llevar a un horno precalentado y cocinar a 400 F hasta que el queso esté dorado y se cocine completamente.
5. Retirar del horno y sacar con cuidado de la bandeja.
6. Colocar las salchichas picadas, las cebollas, los pimientos verdes y rojos y los tomates en rodajas.
7. Cubrir por encima con la salsa de tomate y más condimento para pizzas.
8. Llevar al horno nuevamente por 10 minutos o hasta que todos los ingredientes se cocinen bien.
9. Retirar la pizza del horno y cortar en tiras gruesas. Enrollar las tiras con cuidado para dar forma de rollitos. Dejar reposar y servir.

Pastel de Carne Keto

Ingredientes:

- 4 cucharaditas de mostaza Dijon
- 2 libras de salchichas italianas
- 4 cucharadas de mantequilla para saltear
- 4 libras de carne molida (85% magra)
- 1 taza de harina de almendras
- 2 cucharadas de hojas de tomillo
- ½ taza de perejil fresco picado
- 1 taza de queso parmesano rallado (no rallado en seco)
- 4 cucharadas de salsa para barbacoa T Ellen Baja en Carbohidratos
- ½ taza de crema espesa
- 12 oz. de queso crema
- 4 huevos
- 2 cucharadas de hojas de albahaca fresca picadas finamente
- 4 tazas de queso cheddar rallado
- 2 tazas de pimiento verde picado
- 12 oz. de cebolla blanca picada
- 2 cucharaditas de sal
- ¼ cucharadita de gelatina sin sabor
- 1 cucharadita de pimienta negra molida
- 8 dientes de ajo triturados

Preparación:

1. Precalentar el horno a 300 F.
2. Tomar un molde para hornos y engrasarlo con mantequilla.
3. En un bol pequeño, mezclar bien el queso parmesano y la harina de almendras.

4. En otro bol, agregar el queso crema y el queso cheddar y mezclar bien. Revolver muy bien hasta que la mezcla esté suave para poder untar el pan sin dejar grumos.

5. Calentar una olla a fuego medio. Cuando esté caliente, agregar aceite y una vez se caliente agregar la cebolla, el ajo y el pimiento. Saltear bien. Cocinar los ingredientes hasta que las cebollas estén suaves y transparentes.

6. Una vez listas, retirar la sartén del fuego y dejar que los ingredientes se enfríen.

7. Cuando estén fríos, llevar la mezcla de ajo y cebolla a un procesador de alimentos.

8. En otro bol pequeño, batir los huevos bien hasta que no se van burbujas. Volcar las especias en los huevos batidos y sazonar con sal, pimienta y la salsa barbacoa. Mezclar todo bien.

9. Cuando todos los ingredientes se hayan incorporado bien, agregar la crema y mezclar.

10. Después de mezclar bien, añadir la gelatina y dejar reposar por 10 minutos.

11. Mientras reposa, cortar las salchichas italianas finamente. Mezclar bien junto a la carne. Deben integrarse bien con una consistencia de carne molida, de manera que no pueda diferenciarse de la harina de almendras.

12. Asegurarse de que la mezcla no esté muy pegajosa. Si lo está, agregar queso parmesano que sea necesario, ¡una cucharada a la vez!

13. Amasar bien la mezcla hasta que esté suave.

14. Combinar la mezcla del pastel de carne con el huevo. Revolver bien y luego añadir los otros ingredientes a la mezcla. Si lo deseas, puedes agregar los ingredientes uno por uno, solo asegúrate de que todos los ingredientes se integren completamente a la mezcla.

15. Agregar la harina una cucharada a la vez y seguir

amasando. Dejar de amasar cuando los ingredientes se hayan integrado bien.

16. Engrasar una hoja de papel vegetal con mantequilla, aceite comestible en aerosol o simplemente con aceite, y llevarla a una bandeja para hornear. Colocar el pastel de carne en la bandeja y dejarlo reposar. Cubrir después con la mezcla de queso crema y queso cheddar. Asegurarse de cubrir bien la carne.

17. Después de cubrir la carne, tomar el papel por ambos extremos y envolver de un lado a otro para que la carne quede bien cubierta por la mezcla de quesos. Retirar el papel de la bandeja cuando esté listo.

18. Sellar ambos lados del pastel de carne para que el queso y la crema no se salgan cuando se derritan.

19. Tomar la bandeja para hornear y engrasarla bien. Mover con cuidado al horno para que el pastel no se deslice por la bandeja. Llevar al horno por 15 minutos.

20. Revisar que la carne se haya cocinado por completo. Esto se puede hacer insertando un termómetro de cocina. La carne debe alcanzar los 300 F.

21. Dejar que se enfríe cuando se haya cocinado.

22. ¡Servir el pastel con salsa!

Atún al curry

Ingredientes:

- 1 taza de atún picado
- 1/2 taza de nueces picadas
- 1/4 taza de almendras picadas
- 2 huevos duros
- 2 cucharadas de mayonesa baja en carbohidratos
- Sal al gusto
- Chili en polvo al gusto
- 1 cucharada de curry en polvo
- Perejil para decorar

Preparación

1. Llevar una sartén con aceite al fuego y agregar las nueces y las almendras.
2. Una vez doradas, añadir el curry en polvo, la sal y el chili en polvo. Revolver bien.
3. Cuando se hayan terminado de dorar, agregar el atún picado.
4. Añadir suficiente agua y cubrir con una tapa.
5. Cuando se cocine, transferir el guiso a un bol.
6. Colocar los huevos duros por encima y cubrirlos con una cucharada de mayonesa.
7. Servir caliente acompañado de arroz de coliflor.

Guiso de Carne y Puerros

Ingredientes:

- 1 libra de carne molida
- 2 tazas de puerros picados
- 2 tazas de zanahorias cortadas en cubos
- 2 tazas de cebollas picadas
- 1 cucharadita de salvia seca
- 1 taza de frijoles picados
- 1 taza de tomates picados
- 1 taza champiñones picados
- 1 taza de calabacín picado
- 1 taza de batata picada en cubos
- 1 cucharadita de orégano
- 1 cucharada de aceite de oliva
- 3 tazas de agua
- Sal y pimienta al gusto

Preparación:

1. Llevar una sartén a fuego medio y añadir aceite. Saltear las cebollas hasta que estén doradas y transparentes.
2. Agregar la carne molida a la sartén y cocinar hasta que esté dorada.
3. Añadir el resto de los ingredientes a la sartén y cocinar hasta que espese.
4. Añadir los puerros y cocinar hasta que los puerros estén tiernos.
5. Cuando empiece a hervir, cubrir con una tapa y cocinar a fuego lento por un tiempo.
6. Servir caliente.

Pizza con Salchichas

Ingredientes:

- 2 cucharadas de aceite de oliva
- 1 cabeza de coliflor (recortada y luego picada en floretes)
- 1 oz. de cebolla blanca picada
- 3 cucharadas de mantequilla
- ½ taza de agua
- 4 huevos medianos o 2 huevos grandes
- 3 tazas de queso mozzarella rallado y picado en trozos pequeños
- 2 cucharaditas de semillas de hinojo
- 3 cucharaditas de condimentos italianos
- ½ taza de parmesano rallado
- 5 oz. de salsa de pizza (que sea muy baja en carbohidratos)
- 1 libra de salchichas italianas (que sea muy baja en carbohidratos)
- 1 taza de queso italiano (preferiblemente una mezcla de 5 quesos. Debe rallarse de forma gruesa.)

Preparación:

Para la base:

1. Precalentar el horno a 400 F.
2. Engrasar una bandeja para hornear con aceite de oliva.
3. Llevar una sartén grande a fuego medio.
4. Agregar mantequilla y luego las cebollas. Saltear hasta que estén transparentes. Agregar la coliflor a la sartén y cocinar hasta que esté casi listo.
5. Agregar agua a la sartén y cubrir con una tapa. Dejar que los vegetales adentro hasta que la coliflor esté tierna.

6. Transferir los vegetales a un bol de vidrio y dejar que se enfríen.

7. Mientras se enfría la coliflor, cocinar las salchichas italianas. Necesitan picarse finamente antes de cocinar. Escurrir toda la grasa de la sartén. Pasar las salchichas por papel para absorber el resto de la grasa. Dejar enfriar y reservar.

8. Cuando la coliflor esté fría, tomar tres tazas de coliflor y llevarlas al procesador o a una licuadora. Procesar hasta que la coliflor se convierta en un puré suave. Transferir el puré a un bol.

9. Agregar huevos al bol junto al queso y las especias. Mezclar todo bien. Agregar el parmesano y mezclar.

10. Esparcir el puré de coliflor con una espátula sobre una bandeja para hornear. Debe tener cierto grosor sobre la bandeja.

11. Hornear la corteza en el horno por 20 minutos. Retirar la corteza cuando todos los bordes estén dorados.

12. Mientras la corteza está en el horno, cortar las salchichas finamente. Pueden cortarse o llevarse a un procesador de alimentos.

13. Verter la salsa de pizza en una olla y añadir las salchichas italianas.

14. Cocinar las salchichas en la salsa hasta que espesen.

Para la pizza:

1. Cuando la corteza esté lista, retirar del horno y cambiar la opción del horno para "Hervir". Subir la rejilla del horno a cuatro pulgadas del asador.

2. Verter la salsa de pizza con salchichas sobre la corteza. Esparcir sobre la corteza con una espátula. La salsa debe ser una capa delgada sobre la corteza. Se pueden añadir

más salchichas y salsa a la corteza si lo deseas. Colocar el resto de los ingredientes por encima.

3. Llevar la pizza al horno y cocinar hasta que el queso se derrita. Asegurarse de que el queso ha empezado a burbujear.
4. Retirar la pizza del horno y cortar en porciones.

Guiso de Aguja de Ternera y Tocino

Porciones: 4 a 5

Ingredientes:

- 1 taza de tiras de tocino
- 3 libras de aguja de ternera limpia de grasa
- 2 cebollas rojas grandes cortadas en rodajas
- 2 dientes de ajo triturados
- 1 y ½ cucharaditas de sal marina
- 1 cucharadita de pimienta negra recién molida
- 5 tazas de caldo de carne
- 1 cucharadita de tomillo
- 1 cucharada de aceite de oliva
- Perejil picado para decorar

Preparación:

1. Con un cuchillo afilado, cortar la ternera en piezas delgadas o trozos de 2 pulgadas.
2. Llevar una olla a fuego medio y calentar una cucharada de aceite de oliva.
3. Añadir las rodajas de cebolla y saltear por 3 a 4 minutos hasta que empiecen a soltar agua.
4. Agregar el ajo triturado y cocinar por otro minuto.
5. Verter caldo de pollo y añadir una pizca de sal, tomillo y pimienta. Revolver todos los ingredientes bien con una cucharada de madera.
6. Agregar los trozos de ternera, las tiras de tocino y cubrir la olla con una tapa. Cocinar el guiso por 90 minutos a fuego alto y luego a fuego lento por 15-20 minutos. Si usas una olla de cocción lenta, cocinar a fuego bajo por 7

horas hasta que la aguja esté completamente cocinada.
7. Transferir a un plato grande y decorar con perejil picado.
8. Servir caliente.

Pollo Guadalajara

Ingredientes:

- 4 cucharadas de mantequilla
- 8 oz. de cebolla blanca picada finamente
- 6 dientes de ajo triturados
- 8 pechugas de pollo deshuesadas, sin piel y cortadas a la mitad
- 6 oz. de tomates de lata picados en cubitos
- 6 oz. de pimientos verdes de lata
- 1 taza de crema de leche
- 1 taza de caldo de pollo
- 1 cucharadita de pimienta de cayena
- 1 cucharadita de comino seco
- 1 cucharadita ajo en polvo
- 2 cucharaditas de sal marina
- Queso cheddar rallado para decorar
- Crema agria para decorar
- Salsa mexicana para decorar

Preparación:

1. Lavar las pechugas de pollo bien y secarlas. Cortar en filetes.
2. Llevar una sartén mediana a fuego medio. Derretir la mantequilla y agregar las cebollas y el ajo. Cocinar hasta que las cebollas estén blandas.
3. Agregar el pollo a la sartén y cocinarlo. Escurrir toda la grasa del pollo.
4. Bajar el fuego y agregar los tomates y los pimientos.
5. Cubrir la sartén con una tapa y seguir cocinando por 15 minutos.
6. Agregar la crema de leche y el queso cheddar. Revolver

hasta que se derrita completamente. Agregar la crema agria y revolver bien.

7. Cubrir bien el pollo y los vegetales con el queso.
8. Añadir el caldo a la salsa y revolver.
9. Decorar el platillo y servir caliente.

Guiso Simple de Carne

Ingredientes:

- 2 libras de carne
- 5 tazas de caldo de carne
- Sal al gusto
- Pimienta al gusto
- 1 cucharadita de chili en polvo
- 1 cucharadita de salsa ingles
- 2 cucharadas de aceite de oliva
- 1 cebolla roja picada
- 2 cucharadas de ajo picado
- 3 zanahorias medianas
- 4 tallos de apio medianos

Preparación:

1. Llevar la carne a un bol y añadir sal, pimienta y chili en polvo.
2. Mezclar hasta que esté bien sazonada.
3. Agregar la salsa inglesa a la mezcla.
4. Reservar la carne.
5. Mientras tanto, llevar una sartén al fuego con algo de aceite.
6. Agregar el ajo y cocinarlo hasta que se dore.
7. Agregar la cebolla, las zanahorias y el apio.
8. Añadir caldo de carne y dejar hervir.
9. Agregar la carne y dejar hervir nuevamente.
10. Cubrir con una tapa y cocinar a fuego lento.
11. Dejar cocinar por 1 a 2 horas hasta que la carne esté completamente tierna.

Muslos de Pollo con Limón y Romero

Ingredientes:

- 6 muslos de pollo
- 1 y 1/2 limones
- 3 dientes de ajo
- 6 ramitas de romero
- Sal al gusto
- Pimienta en polvo al gusto
- 3 cucharadas de mantequilla

Preparación:

1. Sazonar el pollo con sal y pimienta.
2. Llevar una sartén de hierro fundido a fuego alto. Colocar los mulsos de pollo con la piel hacia abajo y cocinar hasta que estén dorados. Voltear y cocinar el otro lado también. Exprimir un poco de jugo de limón sobre el pollo. Cortar en dos el resto del limón y saltearlo dentro de la sartén.
3. Añadir el ajo y el romero y saltear.
4. Llevar la sartén con cuidado a un horno precalentado a 400 F por 30 minutos.
5. Retirar del horno y añadir mantequilla. Hornear hasta que el pollo esté crujiente. Remover las rodajas de limón.
6. Servir acompañado de vegetales salteados.

Capítulo 7: Postres

Natilla de Ricotta al Horno

Ingredientes:

- 2 claras de huevo grandes
- 2 huevos grandes
- 1/2 taza de mitad-y-mitad (mitad leche y mitad crema)
- 1 y 1/2 tazas de queso ricotta
- 1/4 taza eritritol (u otro endulzante) al gusto
- 1/2 cucharadita de extracto de vainilla
- 2 cucharadas de canela molida

Preparación:

1. En un bol, mezclar el ricotta con el mitad-y-mitad. Batir con una batidora eléctrica hasta que quede suave y cremoso.
2. Agregar el edulcorante y batir hasta que se integre bien a la mezcla.
3. Añadir el resto de los ingredientes y batir hasta integrar completamente.
4. Transferir la mezcla a 8 moldes. En una bandeja refractaria, verter suficiente agua caliente para cubrir una pulgada de altura desde el fondo del molde.
5. Colocar los moldes con cuidado dentro de la bandeja.
6. Llevar a un horno precalentado a 250 F por 45 minutos o hasta que se cocine por completo.
7. Retirar del horno y dejar enfriar.
8. Espolvorear con canela.
9. Servir fríos o a temperatura ambiente.

Pastel de Chocolate en Taza

Porciones: 2

Ingredientes:

- 2 huevos batidos
- 4 cucharadas de cacao en polvo
- 4 cucharadas de sustituto de azúcar (endulzante) o al gusto
- Una pizca de sal
- 2 cucharadas de crema espesa
- 1 cucharadita de extracto de vainilla
- ½ cucharadita de polvo de hornear
- Aceite comestible en aerosol
- Crema batida para servir
- Bayas y frutos de tu elección para servir

Preparación:

1. Mezclar el cacao, el endulzante, la sal y el polvo de hornear en un bol.
2. Añadir crema, vainilla y huevo. Mezclar bien.
3. Verter en tazas engrasadas con aceite en aerosol. Verter hasta llenar ½ de la taza.
4. Llevar al microondas a temperatura alta y cocinar por 60-80 segundos hasta que la superficie del pastel esté ligeramente dura.
5. Dejar enfriar e invertir en un plato. Servir con crema batida y bayas o frutos.

Macarrones rellenos de crema de coco

Ingredientes:

- 4 claras de huevo
- 16 oz. de coco seco (sin azúcar, deshidratado y rallado finamente)
- 1 cucharadita de vainilla
- 8 oz. de queso crema (a temperatura ambiente)
- ½ cucharadita de crémor tártaro
- 2 oz. de jarabe de chocolate blanco sin azúcar
- 2 tazas de eritritol (o cualquier endulzante)
- 2 oz. de crema espesa
- 2 oz. de chispas de chocolate
- 1/4 cucharadita de sal

Preparación:

1. Precalentar el horno a 300 F.
2. Cubrir una bandeja para hornear con papel vegetal.
3. En un bol grande, batir los claras, el crémor tártaro y la sal usando una batidora eléctrica. También se puede usar una licuadora.
4. Añadir el endulzante, una cucharada a la vez. Seguir batiendo hasta que la mezcla esté suave.
5. Agregar el coco en movimientos envolventes.
6. Agregar el queso crema y la crema espesa y suavizar la crema. Añadir el jarabe y mezclar todos los ingredientes bien.
7. Agregar la mezcla de coco en tercios hasta que se haya combinado completamente. Agregar las chispas de chocolate y doblar la masa.
8. Usar una cuchara pequeña para colocar la mezcla de coco en el papel vegetal.

9. Llevar la bandeja al horno por 30 minutos. Cuando se hayan cocinado, apagar el horno y dejar la bandeja adentro por otros 30 minutos para que se sequen.
10. Transferir a una rejilla y dejar enfriar.

Cheesecake de Brownie

Ingredientes:

Para la base del brownie:
- 1 huevo grande batido
- 1/4 taza de mantequilla
- 2 cucharadas de cacao en polvo sin azúcar
- 1 oz. de chocolate picado en trozos
- 1/4 taza de harina de almendras
- Una pizca de sal
- 6 cucharadas de eritritol granulado o endulzante Swerve
- 2 cucharadas de nueces o pecanas picadas
- 1/4 cucharadita de vainilla

Para el relleno del cheesecake:
- 1 huevo grande
- 1/4 taza de eritritol granulado o endulzante Swerve
- 1/2 libra de queso crema (a temperatura ambiente)
- 1/4 cucharadita de extracto de vainilla
- 2 cucharadas de crema espesa

Preparación:

1. Cubrir un molde desmontable con papel de aluminio.
2. Agregar mantequilla y chocolate en una taza resistente al calor y llevar al microondas por un minuto o hasta que el chocolate se derrita.
3. Retirar del microondas y revolver bien.
4. Mezclar la harina de almendras, el cacao y la sal en un bol.
5. Añadir endulzante y vainilla al huevo batido. Batir hasta obtener una mezcla homogénea y suave. Agregar la harina de almendras y batir.

6. Agregar el chocolate derretido a la mezcla y batir hasta que esté suave.
7. Añadir las nueces y revolver. Transferir la mezcla al molde.
8. Llevar a un horno precalentado a 325F por 15 minutos. El centro debe quedar blando y los bordes firmes.
9. Retirar del horno y dejar enfriar. Colocar esta corteza en una bandeja junto a un molde refractario.
10. Mientras tanto, preparar el relleno: agregar queso crema en un bol y batir hasta que esté suave. Añadir los huevos, el endulzante, la crema y la vainilla y batir hasta integrar todo.
11. Transferir el relleno a la corteza horneada y esparcir.
12. Llevar la bandeja al horno por 35-40 minutos.
13. Cuando se enfríe, soltar los bordes de la corteza con un cuchillo afilado y colocar en un plato.
14. Cubrir con papel envolvente. Enfriar en la nevera y servir más tarde.

Helado Marmoleado de Fresa

Ingredientes:

Para el helado de vainilla:
- 2 tazas de crema espesa
- 2 cucharadas de vodka (opcional)
- 6 yemas de huevo grandes
- 2/3 taza de eritritol o endulzante
- 1/4 cucharadita de goma xantana (opcional)
- 1 cucharadita de extracto de vainilla

Para el marmoleado de fresa:
- 2 tazas de puré de fresas

Preparación:

1. Llevar una sartén honda a fuego bajo. Añadir la crema y el eritritol. Calentar hasta que el eritritol se disuelva. Retirar del fuego.
2. En un bol, batir las yemas con una batidora eléctrica hasta que doblen su volumen.
3. Añadir 2 cucharadas de la crema tibia a las yemas y batir constantemente. Continuar el procedimiento hasta que toda la crema se integre a las yemas. Agregar vainilla y volver a batir.
4. Si lo deseas, puedes agregar vodka y goma xantana a la mezcla y batir una vez más. Dejar enfriar completamente.
5. Llevar el helado al congelador por unas horas. Revolver un par de veces mientras esta en el congelador.
6. Retirar el helado semi-congelado del congelador.
7. Añadir el puré de fresa por encima. Con un cuchillo, dar forma de espirales para lograr el efecto marmoleado.
8. Congelar el helado nuevamente por 5-6 horas hasta que esté firme. Retirar del congelador 30 minutos antes de

servir.

9. Alternativamente, se puede enfriar el helado en una máquina para helados siguiendo las instrucciones del fabricante. Luego seguir los pasos 7 y 8, y añadir el puré de fresa en los últimos minutos del batido.

10. Para hacer helado de vainilla, omitir los pasos 6 y 7. Congelar hasta que esté firme.

Panqué Keto

Ingredientes:

- 10 huevos
- 2 tazas de mantequilla
- 4 tazas de harina de avellana
- 2 cucharaditas de extracto de vainilla
- 2 cucharaditas de polvo de hornear
- 2 cucharaditas de esteva
- Una pizca de sal

Preparación:

1. Llevar todos los ingredientes a un bol.
2. En otro bol, verter crema y el endulzante. Batir con una batidora eléctrica hasta que la mezcla esté cremosa.
3. Añadir los huevos uno por uno, batiendo cada vez.
4. Agregar 2 cucharadas de la mezcla de ingredientes secos al bol y batir. Continuar agregando la mezcla de ingredientes secos hasta que se haya integrado completamente.
5. Añadir extracto de vainilla y volver a batir.
6. Verter la mezcla en un molde previamente engrasado y forrado con papel para hornear.
7. Llevar a un horno precalentado a 350 F por 30-50 minutos o hasta que se pueda insertar un palillo en el panqué y salga limpio.

Tartaletas de Limón con Merengue

Porciones: 4

Ingredientes:

Para la crema de limón:

- 6 yemas de huevo
- 20 gotas de estevia
- 7 cucharadas de mantequilla en cubos
- ½ taza de eritritol en polvo
- 1 pizca grande de goma xantana
- 4 limones

Para la corteza:

- 2 tazas de harina de almendras
- 1 huevo
- 4 cucharadas de proteína de suero de leche
- 2 cucharadas de mantequilla derretida
- 4 cucharadas de eritritol en polvo
- ½ cucharadita de sal

Para el merengue:

- 4 claras de huevo
- 4 cucharadas de eritritol en polvo
- ¼ cucharadita de crémor tártaro

Preparación:

1. Precalentar el horno a 350 F.
2. Par la corteza: Agregar todos los ingredientes de la corteza en un bol y mezclar con las manos hasta formar una masa.

3. Dividir la masa en 4 porciones y colocarlas en moldes para tartas. Presionar dentro del molde para dar forma.

4. Llevar a un horno precalentado a 350 F por 10-15 minutos. Revisar las cortezas cada 5 minutos. Retirar si están listas.

5. Para la crema de limón: Rallar la cáscara de 2 limones en un bol. Exprimir parte del jugo de los limones también.

6. Batir las yemas en un bol resistente al calor. Añadir las gotas de estevia y el eritritol. Batir la mezcla nuevamente. Llevar el bol a una olla preparada para baño maría. Batir hasta que la mezcla empiece a espesar.

7. Añadir el jugo de limón y la ralladura de limón y batir. Agregar la goma xantana y mezclar bien.

8. Empezar a añadir los cubos de margarina, uno a la vez y batir para que se derritan en la mezcla. Continuar hasta que todos los cubos se hayan integrado a la mezcla.

9. Retirar el bol del baño maría y dejarlo refrescar. Llevar el bol al refrigerador por unas horas.

10. Para el merengue: Verter las claras de huevo en un bol y batir con una batidora eléctrica a baja velocidad hasta obtener una textura espumosa.

11. Añadir el crémor tártaro y batir. Batir a velocidad media. Agregar el eritritol, una cucharada a la vez. Añadir más crémor tártaro y batir.

12. Aumentar la velocidad de la batidora a alta. Batir hasta que se formen picos en el merengue.

13. Para armar las tartaletas: dividir la crema de limón y verter con una cuchara en la corteza ya horneada.

14. Colocar merengue por encima con una cuchara.

15. Hornear a 350 F por 20 minutos o hasta que el merengue esté dorado.

Pasteles de Fresas

Ingredientes:

Para los pasteles:
- 6 oz. de queso crema
- 4 cucharadas de eritritol
- 6 huevos grandes separados
- 1 cucharadita de extracto de vainilla
- 1/2 cucharadita de polvo de hornear

Para el relleno:
- 2 tazas de crema batida
- 20 fresas medianas cortadas en rodajas

Preparación:

1. Batir las claras hasta que estén suaves y esponjosas.
2. Agregar el queso crema a las yemas junto al extracto de vainilla, el eritritol y el polvo de hornear. Batir hasta que la mezcla esté suave y cremosa.
3. Añadir las claras a esta mezcla de queso crema con movimientos envolventes.
4. Engrasar 2-3 moldes para hornear grandes. Cubrir con papel vegetal o con alguna lámina antiadherente.
5. Dejar caer cucharas grandes de la mezcla sobre el molde. Dejar un espacio entre los dos pasteles.
6. Llevar a un horno precalentado a 300 F por 25 minutos. Se pueden hornear en tandas.
7. Esparcir crema batida sobre un pastel. Colocar las fresas sobre el pastel y colocar otro pastel por encima.

Tarta de Manzana

Ingredientes:

Para la corteza:

- 2 huevos
- 3/4 taza de harina de coco
- 1/4 cucharadita de sal
- 1/2 taza de mantequilla sin sal derretida (si se usa mantequilla con sal, no añadir más sal)

Para el relleno:

- 3 manzanas Mcintosh rojas, peladas, sin el centro, rebanadas o picadas
- 2 cucharadas de eritritol
- 1/2 cucharadita de extracto de vainilla
- 2 cucharaditas de canela molida
- 1 cucharada de mantequilla

Preparación:

1. Para la corteza: Mezclar mantequilla y los huevos en un bol. Batir hasta que se integren. Agregar la harina de coco y sal. Mezclar nuevamente. Para finalizar, amasar usando las manos.
2. Dividir la masa en 2 partes iguales. Tomar una parte y presionarla en un molde pequeño para tartas.
3. Para el relleno: En un bol, mezclar la manzana, el eritritol, la vainilla y la canela.
4. Colocar las rodajas de manzana sobre la corteza ya preparada. Arreglarlas de la manera que desees. Reservar.

5. Tomar la otra mitad de la masa y aplanar con un rodillo sobre una superficie limpia (espolvorear primero con harina de coco o colocar papel vegetal) hasta un grosor aproximado de ¼ de pulgada.

6. Levantar con cuidado la masa con cuidado y colocarla sobre la corteza con el relleno. Sellar presionando la masa con el borde del molde para tartas. Hacer unas hendiduras pequeñas por encima usando un cuchillo afilado.

7. Otra opción para el paso 5 es, después de estirar la masa, cortar tiras de 1 centímetro de ancho y colocarlas sobre la corteza rellena cruzando unas con otras.

8. Llevar a un horno precalentado a 425 F por 12 minutos.

9. Luego bajar la temperatura a 350 F y hornear por 40 minutos.

10. Retirar del horno y dejar enfriar.

11. Servir caliente con crema batida o helado.

Bombones de Fresa y Albahaca

Porciones: 5

Ingredientes:

- 6 cucharadas de queso crema
- 4 cucharadas crema de leche de coco
- 2 cucharadas de mantequilla sin sal y a temperatura ambiente
- 2 cucharadas de eritritol en polvo o endulzante Swerve
- Gotas de estevia al gusto (opcional)
- Un puñado de hojas de albahaca frescas
- ½ taza de fresas frescas y algunas extra para decorar
- ½ cucharadita de extracto de vainilla

Preparación:

1. En una licuadora, agregar el queso crema, la crema de leche de coco, la mantequilla, el eritritol, la estevia y la vainilla. Licuar hasta que quede suave.
2. Separar la mitad de la mezcla licuada y reservar.
3. A la mitad que aún está en la licuadora, añadir las fresas y licuar hasta que la mezcla esté suave.
4. Verter la mezcla en 5 moldes de muffin de silicona.
5. Limpiar la licuadora y verter en ella la mezcla reservada. Agregar las hojas de albahaca y licuar hasta que la mezcla esté suave.
6. Verter la mezcla con ayuda de una chuchara sobre los moldes de muffin que ya tienen una capa de mezcla de fresa.
7. Colocar fresas rebanadas finamente por encima.
8. Congelar por unas horas hasta que estén firmes.

Galletas de Coco

Ingredientes:

- La clara de 1 huevo grande
- 1/4 taza de harina integral de soja
- 2 cucharadas de avellanas enteras
- 3 cucharadas de coco seco
- 3/4 cucharadita de extracto de coco
- 4 cucharadas de mantequilla sin sal
- 1-2 cucharadas de agua carbonatada (agua de soda) o la cantidad necesaria
- 1/4 cucharadita de extracto de vainilla
- 4 cucharadas de eritritol o endulzante Swerve
- 1/4 cucharadita de sal
- Aceite comestible en aerosol

Preparación:

1. Extender las avellanas sobre un molde para hornear.
2. Llevar a un horno precalentado a 350 F por 8-10 minutos o hasta que se doren (la piel estará casi oscura cuando estén lista). Retirar del horno y dejar enfriar.
3. Colocar una toalla de cocina húmeda sobre una mesa. Extender las avellanas sobre la mitad de la toalla. Cubrir con la otra mitad y frotar para que la piel de las avellanas se suelte.
4. Cortar las avellanas en trozos gruesos y reservar.
5. En un bol, agregar harina de soja, coco, avellanas, clara de huevo, agua carbonatada, extracto de coco, extracto de vainilla, sal, mantequilla y eritritol. Mezclar bien.
6. Rociar un molde para hornear con aceite. Colocar una cucharada de la mezcla sobre el molde. Tratar de dar forma redonda.

7. Llevar a un horno precalentado a 350 F por 20 minutos o hasta que las galletas estén ligeramente doradas.
8. Retirar del horno y dejar enfriar unos minutos.
9. Transferir a una rejilla de alambre.
10. Dejar enfriar completamente y servir.

Conclusión

Después de haber visto estas recetas, hemos llegado al final de este libro. Quiero agradecerte por haber elegido este libro.

Ahora que lo has terminado de leer, me gustaría expresar mi gratitud por elegir esta fuente en particular y por haberte tomado el tiempo para leerlo. Toda la información que contiene fue investigada cuidadosamente y recopilada de manera que puedas comprender la dieta de la manera más fácil posible.

La forma breve en la que fue descrita la dieta, además de las múltiples recetas aquí contenidas, te ayudará a comprender todo lo que necesitas saber al respecto. Espero que la información te haya sido de utilidad y ahora puedes usarla como una guía cada vez que quieras. También puedes recomendar este libro a familiares y amigos que crees que pueden encontrar esta información útil.

La dieta cetogénica es una manera fácil y saludable de perder peso, además de lograr que tu cuerpo esté en mejor estado del que se encontraba antes. Como se ha mencionado en los capítulos anteriores, puedes ver cómo esta dieta funciona exactamente y la manera en la que puede ayudarte. Así que es hora de probarla. Estoy seguro de que no te arrepentirás.

Para finalizar, si disfrutaste este libro, me gustaría pedirte un favor. ¿Serías tan amable de escribir una reseña sobre el libro en Amazon? ¡Te lo agradecería mucho!

¡Muchas gracias y buena suerte!

Revisa Mis Otros Libros

A continuación encontrarás algunos de mis más populares libros en Amazon y también en Kindle. Simplemente haz clic en los siguientes enlaces para verlos. También puedes visitar mi página de autor en Amazon para ver otros trabajos de mi autoría.

CPSIA information can be obtained
at www.ICGtesting.com
Printed in the USA
LVHW041917150120
643722LV00014B/1219